JN025738
の
IMMUNITY
TO
DEMA-
GOGUES
賢者はいかにして
危機を乗り越えたか
免疫力
中野剛志
TAKESHI NAKANO
適菜 収
OSAMU TEKINA

KKベストセラーズ

はじめに――デマゴーグに対する免疫力

ウイルスは体に侵入して感染症を引き起こすもので、感染が拡大すると、社会は崩壊します。

デマや有害な知識、あるいは危険な思想もまた、ウイルスに似ています。それらは、人の身体ではなく精神に侵入するものですが、蔓延すると、やはり社会は崩壊します。

コロナ禍が社会にとって危機だったのは、新型コロナウイルスだけでなく、デマや歪んだ思想も蔓延したことでした。

新型コロナウイルスの起源は未だ解明されていませんが、デマや歪んだ思想の発生源は明らかです。デマゴーグと化した一部の知識人たちです。

彼らは、公衆衛生や感染症の専門家でも医療従事者でもないにもかかわらず、「新型コロナは風邪」「新型コロナの危険性はインフルエンザ程度だから、恐れるに足りない」「外出自粛や行動制限は無意味だ」「新型コロナは夏には収束する」といった無責任な言論を垂れ流し、感染拡大を恐れて警鐘を鳴らす本物の専門家たちを罵倒し、不安な国民を惑わしました。

新型コロナウイルスは、会話の際の飛沫を通じて感染するそうですが、デマゴーグたちの言説は、マスコミやＳＮＳを通じて拡大し、多くの人々の精神に感染しました。

新型コロナウイルスについては、ワクチンの開発が成功し、その接種が進んでいるので、社会の崩壊は防げる可能性が見えてきました。

それと同じように、デマや歪んだ思想の感染を予防するワクチンもまた、開発と接種が急がれます。

つまり、危機の時にデマゴーグたちに煽動されないよう、ウイルスに抗する免疫力をもつように、確かな思想と強い精神力をもつ必要があるのです。

思想の免疫力を高めるためのワクチンとは、具体的には、良質の思想に馴染んでおくこと、それに尽きます。

そのようなワクチンとして非常に有効性が高いものの一つに、小林秀雄の思想がありま す。

小林秀雄というと、難解な文章を書く文学者というイメージが定着しています。しかし、彼の作品をよく読むと、そこには、われわれの日常生活においても有益な、極めて実践的な洞察が含まれていることが分かります。

私は、コロナ禍の中で、小林秀雄全集に目を通し、『小林秀雄の政治学』(文春新書)を著しました。そして、その作業の中で、コロナ禍を生きる上でも必要な数多くの叡智を見出しました。要するに、小林のような物の見方や考え方をしていれば、デマゴーグに惑わされることはないということが分かったのです。

小林こそ、思想の免疫力を高めるワクチンだと言ってよいでしょう。

作家の適菜収は、私よりもやや早い二〇一八年に『小林秀雄の警告——近代はなぜ暴走したのか?』(講談社+α新書)を著し、このコロナ禍では『コロナと無責任な人たち』(祥伝社新書)を上梓していますが、彼もまた、私と同じ考えに至ったようです。

このコロナ禍にこそ、小林を読むべきだ。

意気投合した私たちは、小林の思想を巡り、長時間にわたって語り合いました。

この対談は、現代のコロナ禍の具体的な状況に照らしつつ、小林について論じています。

さらに、小林だけではなく、マイケル・ポランニー、フリードリヒ・ニーチェ、福沢諭吉、柳田國男などの思想家、織田信長、豊臣秀吉、宮本武蔵などの歴史上の偉人、あるいは、野球選手のイチロー、しまいには、ものまね芸人の神奈月(!)など、あちこちに話題が飛びます。

小林秀雄を巡る対談としては、ちょっと他では考えられない。

しかし、通して読めばお分かりいただけると思いますが、これらの話題は、その本質において、すべて小林の思想とつながっているのです。

国民の皆様には、この風変わりな対談によって小林の思想を希釈し、デマゴーグに抗するワクチンとして接種することをお勧めします。

なお、このワクチンは、何度でも接種可能です。副反応は、ありません。

また、本対談を読んだ後、一定の間隔をおいて、今度は、実際に小林秀雄の作品を読んでみてください。そうすれば、デマゴーグに対する免疫力は、さらに高まっていることでしょう。

中野剛志

『思想の免疫力』目次

第一章　人間は未知の事態にいかに対峙すべきか

第二章

成功体験のある人間ほど失敗するのはなぜか

第三章

新型コロナで正体がバレた似非知識人

第四章

思想と哲学の背後に流れる水脈

第五章 コロナ禍は「歴史を学ぶ」チャンスである

第六章 人間の陥りやすい罠

第七章 「保守」はいつから堕落したのか

第八章
人間はなぜ自発的に縛られようとするのか

第九章

人間の本質は「ものまね」である

第一章

人間は未知の事態に いかに対峙すべきか

言葉の限界について

適菜　中野さんが二〇二一年三月に出した『小林秀雄の政治学』を読みましたが、非常に面白かったです。この本はいろいろな読み方ができますが、私は「新型コロナ論」にも見えました。未知の事態、新しい事態が発生したときに、人間は、どのように考え、どのように動くのか。小林秀雄(一九〇二－八三)に見えていたものは、凡人や似非インテリの目には映っていませんでした。

中野　やっぱり新型コロナは念頭に置かざるを得ないというか、コロナ禍に突っ込まれている今の日本や世界を考えるときに、小林秀雄をあらためて読むべきだよなと思ったんです。未体験の新しい事態に人間ってしょっちゅう直面するんですけど、直面して、これまでの理論や既成概念が通用しなかったときに、どう人間は振る舞うべきか、ということに小林の関心が一貫してあったんですね。そのこと自体があまり理解されていない。

例えば小林が戦争について語った「反省なぞしない」という終戦直後の有名な言葉があります。しかし、この「反省なぞしない」という意味も、単なる居直りくらいにみなされて、ちゃんと理解されていないのではないか。あるいは、戦争に「国民が黙って処した」

という言葉も、それだけが有名なんだけども、その言葉の意味がちゃんと理解されていない感じがしたんです。これらは全部、新しい事態、未知の事態に、どう対処するかということと関係している。それだけではない。よく読んでいると、かなり早い段階、つまり批評家として道を歩み出した当初の頃から、後半生に福沢諭吉(一八三五－一九〇一)や本居宣長(一七三〇－一八〇一)について書くようになるまで、あるいは、日本や伝統に対する随筆もそうですが、これらを貫いているのは、結局「新しい事態にどうやって対応するか」、この一点です。小林はこればかり書いていると言ってもいいかもしれない。

適菜　そうですね。危機を見抜くということです。要するにこれは「目」の問題だと思います。

小林秀雄。批評家

小林が批評の題材としたものは多岐にわたっていますが、一貫して言っていることは「既成概念を通して見るのではなくて、直接、目で見なさい」ということです。これは、近代人の考え方と逆ですよね。近代社会では論理的に合理的に理性的にものごとを考えることが重視されます。個別のもの、瑣末なものにこだわるのではなく、抽象度を上げて考えろと。しかし、小林は抽象度を上げることの危険を指摘し、個別のもの、瑣末なものをきちんと見ろと言ったわけです。戦後日本で小林が理解されてこなかったのも、ここに理由があると思います。

中野　小林について、まさに典型的な誤解をやったのが、私が『小林秀雄の政治学』で批判した丸山眞男（まさお）（一九一四－九六）です。丸山のせいで小林が誤解されるようになったのか、それとも世間の誤解と同じ誤解を丸山がしたのか。いや、もしかしたら、もっと悪質で、故意に世間の誤解に乗っかって、その誤解を自分の権威でサポートして、小林をおとしめたんじゃないか。そう思いたくなるぐらいひどいんです。

まさに、概念の操作で物事を理解しようとするような近代人の物の考え方、合理主義といってもいいですけど、それを批判する小林を、丸山は「あらゆる理論を否定して日常の実感だけを信じているんだ」と決めつけ、反対の極端にまで走らせてしまうんですね。しかし、小林は理論それ自体を否定してるのではない。

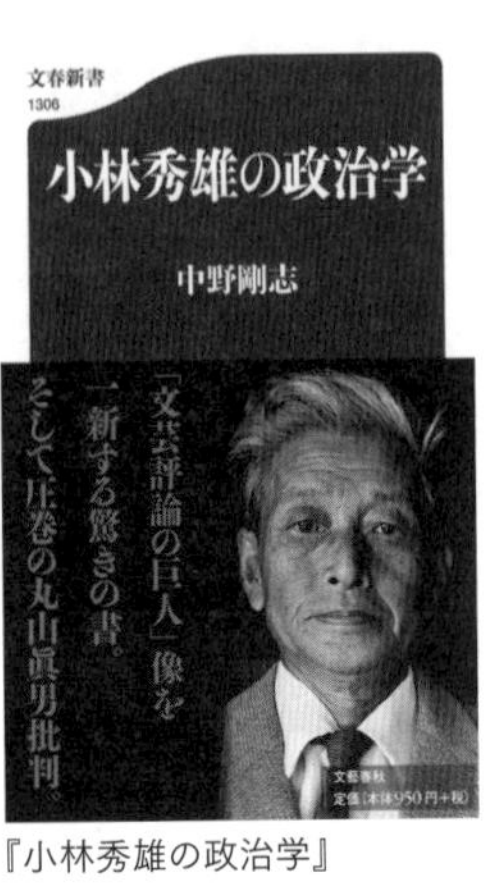

『小林秀雄の政治学』

彼は「物」という表現を繰り返しますけれど、「物」すなわちありのままの世界の一部を抽象化したのが「理論」です。そのありのままの世界をできるだけ言葉をこらして表そうとする理論というもの自体は認めている。ただ、小林は、理論は実践や行為の中にあると言っているんですよ。

しかし、丸山は「小林秀雄は理論を否定して実感に走った」と決めつけた。多分、丸山は、自分は社会科学者として社会科学の理論をやっているのに対して、小林はあらゆる社会科学を拒否して文学に走ったと対比させたいのです。小林秀雄解釈の多くも、そういう理解に立って小林を批判したり、逆に小林を「自分と同じだ」と言ったりしている場合が多いように思う。

小林自身がはっきり書いているのですが、彼は、理論そのものをまるごと否定しているんじゃなくて、理論というものはあるし、必要なのだけれども、その理論を生み出すことがいかに難しいか、ということを言いたいのです。あるいは、理論というものには、いかなる限界があるかということ。理論は頭で考えるものじゃなくて、行為や実践の中から出てくるんだということを、小林はしきりと語っています。

なぜ丸山眞男を批判するのか

中野 世間では「小林秀雄は分かりにくい」と誰もが言う。「論理的じゃない」「自分だけが分かっている書き方をしている」といった感想も聞いたことがある。

確かに、そういう印象をもたれてるんですが、私は『小林秀雄の政治学』でそういうことではないと示せたと思うんです。自分で読みながら、書きながら思ったんですけど、私に言わせると、丸山のほうがよっぽど非論理的ですよ。ものすごく読みにくいし。小林のほうがはるかに論理的で分かりやすい。丸山は、言っていることが曖昧だし、特に丸山の小林批判は、引用や出典の明記もちゃんとしていないし、アンフェアなものです。とても社会科学者の文章とは思えない。やはり、丸山の小林批判は、世間一般の誤解やイメージに合わせて書いているのでしょう。どう読んでも、いや、読めば読むほど、不思議なほど小林のほうが論理的に思えるのに対し、丸山の文章は何を言ってるのか分からない。

ところが、世間のバイアスはひどいもので、のっけから「小林秀雄は分かりにくい」「小林秀雄は文学者だ」「丸山眞男は、論理の世界の社会科学者だ」ということで、きれいに分けてしまっている。小林のファンですら、そういう分け方をしているのではないでしょうか。

適菜 私も『小林秀雄の警告』で書いたのですが、小林の文章は別に難解なのではありません。扱っている対象が難解なのでもない。扱っている対象の「扱い方」が難解なのです。そもそも小林は、言語に馴染まない領域、言葉で簡単に言い表せないものを扱っているわけですよね。だから、論じ方は直線的なものにはならない。たとえば香りは構造的に言語で言い表せないので味覚を比喩として利用します。直接指し示すことができないが暗喩できるものもあります。小林の批評も、外枠を組み立てることで、中心を示すようなものになった。これは小林自身が書いていますが、自分の仕事は公開不可能な具体的な技術だと。小林は切籠の硝子玉を作るように、いろいろな側面から、中心を浮かび上がらせるように書いています。

中野　おっしゃるとおりですね。私も自分で小林の解釈を書いていて、小林が書こうとしている領域の扱いの難しさを実感し、小林が言葉で表しにくいようなところをなんとか表現しようとしてるのがよく分かりました。例えば、私が「小林は何を書こうとしているのか」を一生懸命、解釈しようとするわけです。その解釈を私は自分の言葉でやるんですけど、そのとき、私も切籠細工みたいに、ああ言ってみたり、こう言ってみたりしてといったように、表現する。

丸山眞男。政治学者、思想史家

　小林も同じ対象ばかり扱っているのですが、その対象の照らし方が、上からやったり、下からやったり、あちこちから照らして工夫しています。それが小林の文章を読んでいるとよく分かった。私もまたそのことを言葉で書こうとして、いろいろ工夫しているうちに、自分の言葉のほうが拙(つたな)いものだから、だんだん面倒くさくなって、最後は「もう、自分で小林秀雄を読んでくれ」って言いたくなった。あるいは、小林の書いていることを引用するために写していくうちに、全部写したくなってきた。

「ああ、小林が書こうとしていることは、小林が書いてる方法以外では書きようがないのだな」ってことが少しずつ分かってきた。そのうちに、なんのために、『小林秀雄の政治学』という本を書いてるのかも、よく分かんなくなってきて(笑)。

適菜　それでいいんですよね。世の中の文章のほとんどは模倣か引用です。私が書いた『小林秀雄の警告』も引用ばかりです。そもそも、世の中にあふれている文章は、出典を明記しないか、出典を特定できない引用にすぎません。近代に発生したものが「オリジナル」なわけはない。

　小林はこう言っています。

《模倣してみないで、どうして模倣出来ぬものに出会えようか。僕は他人の歌を模倣する。他人の歌は僕の肉声の上に乗る他はあるまい。してみれば、僕が他人の歌を上手に模倣すればするほど、僕は僕自身の掛けがえのない歌を模倣するに至る。これは、日常社会のあらゆる日常行為の、何の変哲もない原則である》(「モオツァルト」)

中野 だから適菜さんの『小林秀雄の警告』の最後も「小林秀雄全集を読んでくれ」と書いて終わっていましたね。結局、そういうことなんですよ。小林って、文体をごてごてといじくり回してるんじゃない。非常に簡潔だし、無駄がない。こうとしか書きようがない書き方で書いているんですよ。ところが多分、世間の小林秀雄ぶった人は、もったいぶって訳の分からないことを、偉そうにごてごてと書いている。全然、別物ですね。小林の表現は切籠細工のように多面的だけれど、一面、一面それぞれの切り方は率直だし、すごくスパッと鋭い。だから本当に筆の達人ですね。これを解釈するのは、自分の表現力の拙さを思い知らされるようなもので、本当、途中で嫌になっちゃうところがありました。

『小林秀雄の警告――近代はなぜ暴走したのか?』

小林が指摘した近代的思考の暴力

適菜 私は保守思想の本質を小林から学びました。保守思想とは、近代的思考により、切り捨てられたものを重視するということです。数値化、概念化して再構成するという近代の原理の背後に唯一神教とプラトン主義を見出したのはニーチェでしたが、小林もまた近代の問題を一番深いところまで考えています。

小林は理性や合理を批判しましたが、非合理にたどり着いたわけではありません。合理や理性、概念で割り切れるものだけではなく、そこから排除されるものをしっかり見ろと言ったのです。だから、保守は単純な反近代でも復古でもありません。

中野 そうそう。ここはすごく重要なポイントなんですけど、保守主義とロマン主義とは違うということです。「保守」に分類される人でも、近代をまるごと否定して、近代世界とは別の世界を追い求めるようなロマン主義者がいる。しかし、ロマン主義は、現実にはあり得ないフィクションの過去を理想視するわけですから、それを実現しようとすると、相当ラディカルな変革を引き起こしてしまうわけです。ラディカルってことは、保守ではないということですよ。

適菜 ロマン主義は一八世紀末から一九世紀にかけて、西欧で興った芸術上の思潮ですが、そこでは自然との一体感や神秘的な体験、無限なものへのあこがれが表現されてきました。だから、右翼の感覚に近い。

中野 右翼です。右翼というのはラディカルですね。小林秀雄は「近代の超克(ちょうこく)」の座談会で、近代じゃないものを持ってくるつもりなんかないんだというようなことを言ってます。

近代を批判してはいるが、近代から逃げてはいない。これもずっと彼が徹底していることです。確かに小林は、最後に本居宣長（もとおりのりなが）に行き着いたり、戦時中には平家物語や源実朝（一一九二－一二一九）を読んだりしている。あるいは、江戸時代の古学について、しきりと書いている。それをもって、小林は日本の伝統に戻ってきたみたいな言われ方をすることもある。でも、そういう復古主義ではないんですよ。

適菜　保守とは近代の内部において、近代的思考の暴力を警戒する立場のことだと思います。福沢諭吉は「保守の文字は復古の義に解すべからず」と言いました。近代という宿命、未知の事態、新しい事態に立ち向かうためには、近代精神を知り尽くさなければならないと福沢は言ったわけです。これは小林も同じです。

中野　そう。小林は近代から逃げない。現実から逃げないというのが、小林の基本的なスタンスです。近代に限らず、今置かれた状況や運命から逃げ出すとか、関係ないことを想像するとか、そういうことを徹底的に嫌っている。小林自身がそうだし、彼が書いている福沢諭吉やニッコロ・マキャベリ（一四六九－一五二七）もまさにそういう立場の人間です。小林は、そういう置かれた状況から逃げない人たちのことばかり書いています。

小林が比較的若いときに書いた随筆に「故郷を失った文学」というものがあります。今の日本は西洋文学に完全に染まっていて、そこから抜けられなくなっている。そうだったら徹底的に西洋文学をやってやろうじゃないか。自分たちはむしろ西洋文学をよく理解できるようなところにいるんだと捉えるべきだ。そういうことを小林は書いている。それを「居直りだ」と批判をされたりしてるんですね。

小林が歳をとってから書いた福沢に関する随筆でも、言っていることは同じなんです。福沢は、西洋文明を徹底的に学ぶことで、危機を突破したと言うのです。小林が宣長に関心をもった理由もまた、同じでした。要するに、話し言葉しか存在しなかった古（いにしえ）の日本に、いきなり漢字という書き言葉が入ってきた。しかも、象形文字ときたもんだから、「これ、どうすんのよ？」という危機的な状況になった。この危機を古の日本人たちがどう乗り越えたか。徹底的に漢文に熟達し、その結果として訓読という独創的な手法を編み出し、そうやって危機を突破したというのです。この点に、小林はいたく感銘を受けて『本居宣長』を書いているのです。

封建社会と市民社会

適菜　福沢は西欧近代という未知の事態に対し、どのような態度をとったのか。小林はこう述べています。

《福沢の文明論に隠れている彼の自覚とは、眼前の文明の実相に密着した、黙している一種の視力のように思える。これは、論では間に合わぬ困難な実相から問いかけられている事に、よく堪えている、困難を易しくしようともしないし、勝手に解釈しようともしないで、ただ大変よくこれに堪えている、そういう一種の視力が、私には直覚される》(「天という言葉」)

やはり「目」なんですね。

宣長もまず漢字の形を見えてくるまで「眺め」ました。さかしらな解釈を拒絶し、「馴染む」まで見る。小林はこう言っています。

《漢ごころの根は深い。何にでも分別が先きに立つ。理屈が通れば、それで片をつける。それで安心して、具体的な物を、くりかえし見なくなる。そういう心の傾向は、非常に深く隠れているという事が、宣長は言いたいのです。そこを突破しないと、本当の学問の道は開けて来ない。それがあの人の確信だったのです》(「『本居宣長』をめぐって」)

既成概念を使って安易に納得するのではなく、目の前でなにが発生しているのか、よく見なければならないと。

中野 ありのままの現実世界と交わるという実践から始めなければいけないということを小林は言っているのですね。

適菜　小林がフョードル・ドストエフスキー（一八二一－八一）について書いた理由も同じです。ロシアのインテリゲンチャが西欧近代をどのように受け止めたか、それと日本の近代受容の問題を重ね合わせていると思うのですが、中野さんの『小林秀雄の政治学』にはこうあります。

《西欧の文化に対する劣等感に悩んだロシアのインテリゲンチャたちにとって問題となったのは、「ナロオド」というロシアの土着の民衆（農民）という観念であった。彼らは、自分たちの思想や教養が西欧からの輸入品であって、ナロオドと共有するロシアの文化伝統に根差したものではないという強迫観念に駆られていた》

フョードル・ドストエフスキー。小説家、思想家

小林はロシアの専制は、国民の間から自然に発生してくる封建制度さえ許さなかったと書いています。中野さんは、「西欧から自由主義をはじめとする政治思想だけが流入したところで、ロシアの政治的現実には定着し得ない。結局、自由はロシアでは、インテリゲンチャが抱いた観念にとどまるしかなかった、それが過激な直接行動につながった」と指摘されていますね。

中野　封建社会の問題は、近代の自由や民主主義と関係しています。日本の一般的な理解、あるいは丸山眞男あたりが流布した説だと、近代が自由民主主義的であるのに対し、前近代の封建制は自由民主主義の障害だという議論になっている。しかし、実は、話は逆で、これは今日の歴史社会学の研究でもそうだし、小林も分かっていたことですが、近代的な市民社会は、封建制度を基礎にしているのです。

封建制においては、日本の武士団や寺社勢力、あるいはヨーロッパの貴族や教会のように、自分たちで権力をもった集団が存在している。こうした自立した集団は、専制君主が出てくると激しく抵抗するわけですよ。だから封建制というのは、本質的に分権的であって、まったく中央集権的じゃないわけですね。

他方で、近代は、中央集権的にやることで国力を高めようとする。国家を統一して中央集権的にやろうとするんですけれども、封建制が根強く残ってるところだと、封建的な勢力が抵抗するのと同じように、個別の自治的な集団が抵抗して、自治を守ろうとする。それが、近代的な自由や民主主義の原型になります。

これに対して、封建制がないところは、もともと、皇帝の絶対権力に抵抗できるような集団が弱いものだから、専制国家になる。ロシアがそう。多分、中国もそうですね。こういった国家が近代化すると、近代化とは国家権力によってやるのですが、それに対する自治的な集団の抵抗もないものだから、近代国家が専制国家になってしまうのです。
日本では「封建社会の残滓（ざんし）があるから、近代的な市民社会ができないんだ」なんて信じて抜本的改革を叫ぶ人が未だにたくさんいますが、実際には、話は逆で、封建社会の残滓がなければ、近代的な市民社会はできなかったのです。

適菜　その部分は『小林秀雄の政治学』で中野さんが述べられていたフリーダムとリバティーの違いとも関係しますね。市民の権利として社会から与えられたのがリバティーであるなら、自己を実現しようとする個人的な態度が、小林が言う自由（フリーダム）なのだと。要するに、固有の経験や歴史に基づき、そこで戦い取られたものなのか、近代的理念としての普遍的自由を与えられたのかの違いですよね。概念が神格化されれば暴走して歯止めが利かなくなるのは必然です。

中野　そうですね。概念の暴走、イデオロギーと言ってもいいんですけど、その根底にあるのは、またしても言葉の問題です。小林は「様々なる意匠」でも、のっけから「言葉」について語っています。
小林は、言葉のことばかりずっと書いているのです。言葉は、ありのままの現実をすべて表すことができない。できないんだけれども、一方で人間は、物を人に伝えないと生きていけないところもある。でも、言葉は全部を人に伝えることができない。せいぜい近似値でしか伝えられない。文体が良くない人、言葉の扱いが下手な人は、その近似値をとるのが下手だから、平板な表現になる。その平板な表現は、現実を一部しか切り取れない偽物なんですが、しかし、一面だけ切って薄っぺらくして伝えたほうが、大勢の人に伝わりやすいのです。適菜さんがおっしゃった「概念の暴走」ってやつです。そういう言葉のやっかいさが、イデオロギーというものを生み出し、社会が人間を非人間的にして支配する根源にあるのです。私は、そのことを小林から学びました。

文学の裏には政治がある

中野　現実を見たとき、切籠細工のように言葉を尽くす手間を省いて、ラベルを貼ると分かった気になる。これこそが小林が言ってる「意匠」ってやつですね。「様々なる意匠」って、あれ「様々なるイデオロギー」ということなんですよ。どうしてイデオロギーに人間は左右されやすいのか、また左右されるとどうして人間性を失うのか。それは全部言葉の難しさに起因しているんですね。このことを小林は繰り返し語っている。イデオロギーは、平板な言葉で人間を集団的に支配する。集団を支配するイデオロギーを論じるということは、それは政治学です。

小林の言葉の裏表に、政治学と文学があった。

実際、彼自身が「社会科学者であるはずのカール・マルクス（一八一八－八三）と、文学者であるドストエフスキーが、結局同じことを言っている」「アプローチは違うけれど、ふたりは同じことを言ってるんだ」ということを言っている。小林は世間では文学者ってことになってますが、実はその裏側に政治学がある。そのことが見落とされてきたと思うんです。政治学というものは、丸山眞男みたいな知識人に代表されてきてしまった。

適菜　ラベルの問題は私が「B層シリーズ」で一貫して述べてきたことです。たとえばスーパーマーケットの刺身に「産地直送」「新鮮」というラベルが貼ってあれば、新鮮だと思ってしまう。魚をよく見ないわけです。

アンリ・ベルグソン（一八五九－一九四一）は『笑い』で《要するに、わたしたちは事物そのものを見ていない。ほとんどの場合、事物の上に貼り付けられたラベルを見ているだけである。そうした傾向は必要から生ずるのだが、しかし言語の影響がそれに拍車をかける》と述べています。語は事物のきわめて一般的な機能とごくありふれた側面しか記さず、事物とわたしたちとのあいだに割って入り、その語自体を生み出した必要の後ろにまだ隠されていない事物の形をさえ、わたしたちの目から覆い隠してしまうと。

小林が言っていることも同じです。意匠、つまりイデオロギーで判断するのではなくて、現象の具体性、個別性を見ろということです。先ほどの「リバティー」と「フリーダム」の話と同じで、現実とつながりをもたない理想、イデオロギーは暴走します。ハンナ・アーレント（一九〇六−七五）は、エドマンド・バーク（一七二九−九七）がフランス革命の人権宣言を否定したのは正しかったと言っていますね。人間の普遍的な権利なんて無意味な抽象だと。人類は二度の大戦、ナチスの蛮行を経験してきた。そして、イギリス人の権利やドイツ人の権利、個別具体的な権利しか残らなかったことを知ったと。権利とは継承された遺産であり、国民の権利という形でしか成り立たないと。

ハンナ・アーレント。哲学者、思想家

中野　はい。小林とアーレントには共通点がある。アーレントは「一回きり」「その人にしかない」「その一瞬にしかない」といったことを重視しています。小林もそのことをずっと言ってる。アーレントは集団が群れて動く大衆社会が嫌いでした。彼女が特に嫌ってたのが統計学ですね。社会科学上の統計学が成り立ち得るのは、人間一人一人が固有の存在じゃなくて横並びで同じ方向に行くという大衆現象があるからだとアーレントは言うのです。要するに、集団主義的な大衆社会、もっとはっきり言うと全体主義と統計学的な分析手法は、非常に親和性が高いというのです。そう言えば、アーレントだ何だと哲学者ぶって大衆社会批判や全体主義批判をしながら、統計学的な手法を振り回している変な学者がいますが、おそらく彼は何も分かっていないのでしょう。もっとも彼は統計ですらインチキして大衆を煽動しようとしているから、論外ですけれどね。

適菜　その学者の問題は後でゆっくり話すとして、今の社会自体が、統計とプロパガンダで動くようになってしまいましたね。これを拒絶したのが小林です。《近代科学の本質は計量を目指すが、精神の本質は計量を許さぬところにある》（「信ずることと知ること」）と小林は言います。

また、ベルグソンについて、《彼の思想の根幹は、哲学界からはみ出して広く一般の人心を動かした所のものにある、即ち、平たく言えば、科学思想によって危機に瀕した人格の尊厳を哲学的に救助したというところにあるのであります。人間の内面性の擁護、観察によって外部に捕えた真理を、内観によって、生きる緊張の裡に奪回するという処にあった》（「表現について」）と言っていますが、これも数値化と統計で人間が計量されることへの抵抗ですね。

中野　そういう政治状況の問題を戦後しきりと小林は書いている。『考えるヒント』で、アドルフ・ヒトラー(一八八九－一九四五)の『我が闘争』を読み直してみたり、あるいは、プラトン(前四二七頃－前三四七)だとか、『プルターク英雄伝』だとか、ペリクレス(前四九五頃－前四二九)だとか、しきりに古代ギリシャの政治学の古典とか歴史に戻ったりする時期があるのですね。それが、安保闘争の頃と一致してるんですよ。だから、小林は政治に関心はあっただろうし、実際、政治について深く考察しているんですよ。

適菜さんは『小林秀雄の警告』で強調されてましたけれど、小林は『大衆の反逆』を書いたオルテガ・イ・ガゼット(一八八三－一九五五)に匹敵するような大衆社会論をやってますよね。

適菜 そうです。小林は「ヒットラーと悪魔」で《人間は侮蔑されたら怒るものだ、などと考えているのは浅薄な心理学に過ぎぬ。その点、個人の心理も群集の心理も変りはしない。本当を言えば、大衆は侮蔑されたがっている。支配されたがっている》と喝破しました。ヒトラーは人性の根本は獣性にあると考えました。ヒトラーはその確信のもとに、大衆の広大な無意識界を捕えて、感情に火をつけたと小林は指摘していますね。

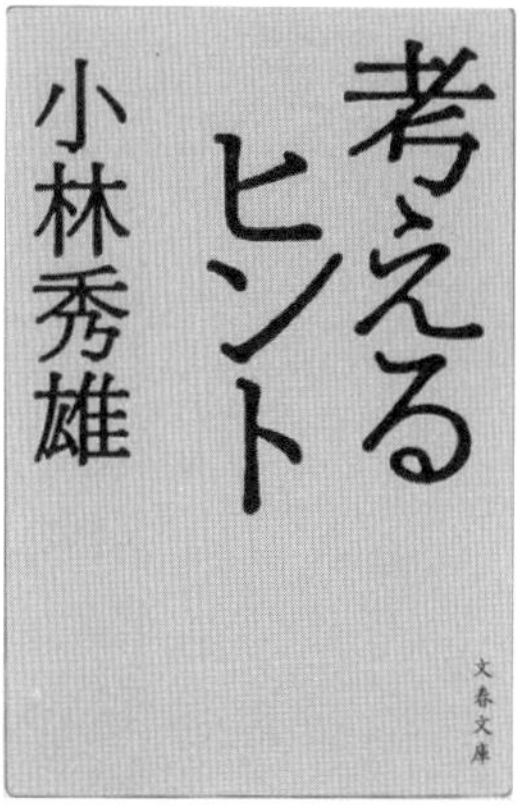

『考えるヒント』

人間は政治的動物である

中野　アリストテレス（前三八四－前三二二）以来、人間は「政治的動物」と言われますが、小林はむしろ「動物」のほうを強調している。人間は集団を構成して集団行動をとらないと生きていけない。しかしながら、集団行動をとるときにいかに獣的なものになってしまうか、つまり人間性を失ってしまうかということをしきりに書いているんです。だから小林は政治から目をそむけたのではなくて、人間はそういう獣的なものに陥りがちなんだけれども、その一方で、政治をやらないと生きていけない。そこでどうするか、ということについて論じていたのです。それは、言葉では表しにくいことだけれど、それを書こうとしているから、小林の文章は難しく見えるのでしょう。

繰り返すと、人間は集団的に行動しなければいけないが、放っておくと動物的になって人間性を失ってしまう。だからどこで踏みとどまるかという、一番言いにくいところを小林は書いている。言い方を変えると、ストライクゾーンぎりぎりを狙ってボールを放っている。その投球術はすごく難しい。そのボール・コントロールの妙こそが、小林のすごいところなんですね。

適菜　「獣性」というのは大事なキーワードです。社会学の定義でいう「大衆」は近代の負の側面ですが、小林はそこに問題があることを分かっていたわけですね。

中野　小林がマキャベリに関心を示すのもその一点なんです。政治をやらなければいけない、集団をマネージしなければいけないが、集団の権力に呑まれて人間性を失わないようにするにはどうしたらいいかという難しさについて、小林はずっと書いているんです。面白いことに、そういう難しいことを考えてきた人物についてばかり書いている。もっとも、そういう昔の政治学の偉人たちの書き残したものは、現代のわれわれからすると、凡庸というか退屈に見えるわけですよ。

ニッコロ・マキャベリ。政治思想家

ある意味、小林も、そんなことは分かってるよ、と言いたくなるような事を、ああでもないこうでもないって書いているのかもしれない。要するに概念で綺麗に、鮮やかに書くことをしていない。ひと昔前の、まあ最近でもいるけれど、若いインテリがやるような、スマートな概念で世の中を分からせるような鮮やかさが小林にはないわけですよ。例えばマキャベリのような、煮ても焼いても食えないような難しい人物のことを書いたりしている。マキャベリを退屈だと思っていたが、退屈だと思うこと自体、政治観が歪んでいるのだ。そのことに小林自身が気づいて反省しているんですよ。

戦後、小林は福沢諭吉を極めて高く評価してたんだけれど、若い頃に福沢の『福翁自伝』を読んだ際は、「面白い人だ。非常に面白いけれども、『福翁自伝』の他は読みたいという気にはならなかった」みたいなことを言っていた。小林自身が成熟したり、あるいは読み直したりすることによって、「退屈だと思ってたら、こんな深いこと言ってたのか」と後から気づいて感動してるんですね。そういうことを実に素直に書いている。彼の全集を前から読んでいくと、それが分かって、非常に面白かった。

適菜　たしか小林が中国かどこかに旅行するときにマキャベリの本を持っていくんですよね。

中野　『ローマ史論』です。読んでいて「これは面白い」と率直に感動している。『ローマ史論』やギリシャ古典を、退屈だとかつまらないと思ってしまうこと自体が、すでに近代に毒されているというわけです。

「小林は何を言っているのか分からない」「何が面白いのか分からない」と言われたりもしますが、よく読むと、こうとしか言いようのない大事なことを書いているんです。

世間の人は、重要なことは、なんか非常に鮮やかで面白いことだと思っているのかもしれないけれど、実は、大事なことは「そんなことは分かっている」と言うべきようなことの中に潜んでいるものです。大事なことは。しかし、それを「そんなことは分かってる」と言ったらおしまいです。大事なことを繰り返されたら、「そんなことは分かってる」などとせせら笑う利口者が一番ダメですね。

政治家は「顔」で判断しろ

適菜　小林は「政治とは技術である」と言いました。政治もまた動いているものであり、静止した点の集合として捉えると間違うと。政治は、イデオロギーで裁断したり、計算したりできる性質のものではない。計算なら計算機でできる。でも「常識」の働きが尊いのは、刻々と変化する対象に即して動くからだと小林は言っています。マキャベリもそれに近いことを『君主論』で語っていますね。小林はマキャベリが空理空論を嫌ったのは、彼の深い

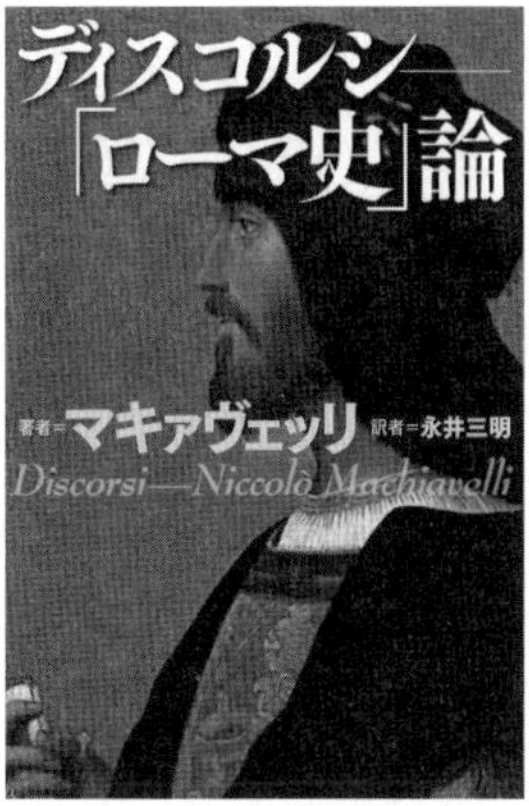

『ディスコルシ――「ローマ史」論』

人間理解が、政治を理論化・空想化させなかったからだと指摘しています。

　小林は人を「顔」で判断しました。近代的思考では、「人を外面で判断するのは間違っている、内面を見ろ」と言います。しかし、外面で人を判断できるのは、人類の歴史的経験、社会の共通認識から言っても否定することはできないでしょう。子供向けの漫画の悪役は悪そうな顔に描かれています。最先端の顔分析システムでもテロリストなどの顔の特徴を分析できることが分かっています。小林は「人間はおもてにみえるとおりのもの」だと言いました。

《自分よりえらくみせようとしたって、りこうそうにみせようとしたって、あるいは、もっと深く考えているんだって、いくら口でいったってダメなんだ。もっているものだけ、考えているだけのものがそのままおもてに、顔つきにも文章にもあらわれるんだよ》（高見沢潤子『兄　小林秀雄との対話』）

　政治家も顔で判断したほうがいい。こう言うと近代的思考に凝り固まった人の反発を買うかもしれません。「それなら美男美女が政治家をやればいいのか」とか「お前の顔はどうなんだ」とか。しかし、言葉はごまかすことはできるが顔はごまかせない。顔に表象されているものを見ろという話です。立ち居振る舞いや言葉の言い回しもそうです。

中野　チョビ髭とか生やして、まなじり吊り上げて怒鳴っているような顔には気をつけましょうとかですか(笑)。

適菜　品の問題だと思います。下品な人間はダメだということですね。新渡戸稲造(一八六二－一九三三)は、人の性格は、その人間がなにも考えていないときに表れると言っています。偉そうにしてるやつは大勢いるが、そいつが礼服を着てきちんとしているときではなくて、浴衣姿だったり、ステッキを持って散歩をしたりしているとき、ひょっと物を食っているときに、「あれはあんな人間である」と分かると。スローガンや高尚なことなんて誰でも言えるわけです。しかし、品位は隠すことができない。安倍晋三(一九五四－)が握り箸と迎え舌で飯を食っている姿を見れば、「あれはあんな人間である」と分かるはずなんですね。小林の政治観もそうです。小林は「面(つら)」という言葉をよく使ったのですが、人を批判するときには「あいつは面がよくない」と。逆にほめるときも、顔からほめるんです。福田恆存(一九一二－九四)という人は痩せた、鳥みたいな人でね、いい人相をしている。良心をもった鳥のような感じだと。

中野　もうそれを読んで以来、福田恆存の顔がほんと鳥にしか見えなくなっちゃった(笑)。

適菜　顔より言葉を重視するのが近代です。だから意識的に小林は言葉より顔を重視したのですね。

中野　確かに。私も、丸山眞男の写真を見たときに、「ああ、なるほど。こういうことを書きそうな顔だ」と思いましたね。

それはね、政治に関係しているし、近代的な考え方が間違っているという話と同じなんです。政治というのは技術である。政治と文学はもちろん大いに違うんだけれども、ただ、この技術や手段こそが大事なんだというところは共通している。よく「手段ではなくて、どんな社会にしたいかを語ってくれ」みたいなことを皆言うわけですが、そういう発想自体が間違っている。私は「小林秀雄の思想はプラグマティズム(実用主義)だ」と書いたんです。プラグマティズムは、「目的があって、その目的を達するために手段があるんだ」という考え方自体に懐疑的な思想です。

例えば、理論というものは、実は、実際に実践することで世間や世の中をどういうものかを知るための手段なのです。知識や理論が先に頭にあって、それを実現するために、政策などの手段があるということではないんです。理論を実践してみることで、現実の世界の実態が分かるようになる。この場合、理論は、目的ではなく手段になっている。それがプラグマティズムの考え方です。小林はその考え方に非常に近い。

適菜　目的が大事で手段を軽視するのは左翼の発想ですね。理性的に論理的に合理的に思考を続ければ正解にたどり着くのなら、その目的に向かって運動を始めればいいということになる。一方小林はイデオロギーでは現実に触れることができないと言うわけです。

《この思想の材料となっている極めて不充分な抽象、民族だとか国家だとか階級だとかいう概念が、どんなに自ら自明性を広告しようと或は人々がこの広告にひっかかろうと、人間は嘗てそんなものを一度も確実に見た事はないという事実の方が遥かに自明である》（「Xへの手紙」）

《人間の様々な生態に準じて政治の様々な方法を説くのを読んでいると、政治とは彼にとって、殆ど生理学的なものだったという風に見える。政治はイデオロギイではない。或る理論による設計でも組織でもない。臨機応変の判断であり、空想を交えぬ職人の自在な確実な智慧である》（「マキアヴェリについて」）

　小林が言いたいのは、マキャベリが平和も自由も空想のうちにしかないことを知りながら、ニヒリズムに陥ることもなく、現実に立ち向かう精神をもっていたということです。

中野　小林は、政治は国民生活の管理術であるべきだとも言っていますが、これを今言うと、政治を卑屈に見てるような印象に見られてしまう。でもそれは全然違っていて、国民生活の手段や管理術がいかに重要かということです。

　この点に関して、小林が感動しているのは、江戸の儒学です。孔子（前五五二または前五五一―前四七九）を正確に理解しようとした伊藤仁斎（一六二七―一七〇五）とか荻生徂徠（一六六六―一七二八）の古学、特に徂徠は「孔子様は、政治は、術だと言ってるんだ」としきりと強調している。「政治は、しょせんは手段に過ぎない」というような言い方ではない。「政治は手段であるということを極めることが、どれだけ大事か」ということ、これをしきりに小林は言っている。でも多分それも誤解されていて、政治を小ばかにしてるんだと思われたり、あるいは、もって回ったひねったレトリックみたいに思われたりしているのかもしれない。しかし、これは文字通り素直に受けとるべきです。「政治は手段である、技術である」ということに小林は大変感銘を受けているのです。

その技術が文学でいうと「文体」にあたる。文体はいいけれども中身が伴ってないとか、そういうことはあり得ない。文体が悪いということは中身が悪いということです。先ほどの顔の話もそうですけど、形がすべてだ、ということです。スタイルとサブスタンスとは、きれいに分けられないのです。

文体が大事ということを、小林は若い頃からずっと書いているんですね。これは「様々なる意匠」に戻ってくるんですけど、結局、言葉とはそもそもどういうものか、ということと密接不可分だということです。

適菜　小林は文学者にとってもっとも本質的なことは「トーンをこしらえること」だと言いました。アントン・チェーホフ（一八六〇－一九〇四）はどこを切り取ってもチェーホフです。文体はダメだけど、一流の文学というのは考えにくい。音楽もそうですよね。フォーム、トーン、文体といったものを軽視してきたのが近代的思考です。小林はそこを批判したのですね。

顔と同じで文体も誤魔化せない

中野 俗っぽい話になりますけれども、四〇過ぎぐらいからかな、それ以前からかもしれませんが、文体が非常に気になるようになりました。

適菜 それはよく分かります。イライラしてくる文章ってありますね。

中野 そう、癇に障るというのかな。最近、私、どんどん文体過敏になっているんです。若い頃からその気はあったんですけれど、例えば、朝日新聞の論説とかにいつも出てくるセリフで、「だがちょっと待って欲しい」って、あれにイラっとくる。「いかがだろうか」とかね。一番嫌いなのは「～と思うのは私だけだろうか」という言い回し。私だけかどうかなんか関係ないだろう。正しいか間違ってるかの話をしているときに、お前だけかどうかなんか知ったことか、と。そういうインテリぶった書き方をされるとカチンとくる。あるいは、「～と思うがどうだろうか」とかね、共感を求めたり、こっちに聞いてくるような言い回しが大嫌いですね。最近だと、「～である疑義が濃厚である」を連発する科学者ぶった偉そうな文章。見るたびに吐きそうになる。

適菜　ははは。

中野　ちょっと話がそれるけれど、私の場合、文体過敏になっちゃった原因は、佐藤健志（一九六六-）さんのお父上の教育のせいかもしれない。つまり恩師の佐藤誠三郎（一九三二-九九）先生が、そういう誤魔化したようなもったいぶった書き方を嫌って、学生に絶対そういう書き方をするなと厳しく指導していたんですよ。

　こうしたインテリぶった書き方って、良心的なふりをしながら、批判されるリスクを回避しつつ、うまく人を丸め込もうとする嫌らしい意図をもってるのが見え見えなんです。まあこれは私の好みの問題と言われちゃうとそうかもしれないけど、私は率直に書く人が好きだし、自分も率直に書くことを心がけています。

適菜　中野さんの文章はそうですね。昔、中野さんに言ったかもしれないけど、エミール・デュルケーム（一八五八-一九一七）の文体に似ている。もちろんフランス語と日本語をそのまま比較できませんが、リズムというか、具体的な事例で畳みかける感じが似てますよね。『小林秀雄の政治学』を読んだときも、そんな感じがしました。

中野　はい。畳みかけばかりやってます。これでもか、これでもか、と。

適菜　これまで小林について書かれた膨大な本の中では、中野さんの本は異質ですね。「文学」のにおいが必要以上に漂う気負った本は多いけど、中野さんの本はストレート。

中野　おっしゃる通りです。私自身は、小林ほど切籠細工のように書くことができないので、小林はすごいなと思ってしまった。小林は、言葉をすごく恐ろしいものだと思っているわけです。ちょっと油断すると、言葉にこっちが操られて、分かった気になったり、自分を大きく見せようとしたり。言葉って、それができてしまうから。要するに自分に嘘をつくことができるから怖い。それを防ぐために私がやっているのは、とにかく率直に書くことです。

そうすると、言葉に操られてぐだぐだだと分かってないことを分かったように書いてしまったり、人からよく見られようとする邪念にとらわれて自分を偽ったりとか、そういうことを避けられるわけです。

適菜　それに、もったいぶった書き方はバカに見えますからね。そういうバカに限って「小林秀雄の後継者」を自称していたり。

中野　そうなんです。恐ろしいことに、もったいぶって書くと、逆にバカに見えるんです。だけど、

佐藤誠三郎。政治学者、東京大学名誉教授

これも難しいんですけど、率直に書いているつもりが、他人からは攻撃的に見えたり、自信たっぷりで傲慢に見えたりするらしいんですよ。これはね、しょうがないんですけれども、やっぱりどうしてもそうなってしまう。

適菜　私もよく「上から目線だ」と批判されます。だったら「下から目線」がいいのかよ。

中野　その点で言うと、小林もバシッと言い切りますよね。小林も率直といえば率直で、非常に鋭い。ただ、やっぱり小林は言葉の達人で練ってるから、切籠細工で細かく切っているんだけれど。しかし、切っている断面は非常に率直にまっすぐ切っていて、しかも、あちこちから多面的に切るからうまい。私はそこまでの語彙力がないですね。やっぱり小林はすごいなと思うんです。

適菜　先ほども言いましたが、一部はダメだけど、全体がいいというのは考えにくいですよね。一部はへたくそなのに全体はいい絵とか、一部はくだらないけど全体としてはいい曲とか。これは批評や評論にも言えます。最初の三行を読んで、ダメなものはダメみたいなところはやはりあるじゃないですか。

中野　ありますね。だからね、恐ろしい話です。見た目で誤魔化せないということなのですよ。今はネット社会で、ちょっとした連絡でも、メールやテキストでやり取りをする。以前よりも書き言葉がすごく優位になっていますよね。書き言葉中心の文化になっている。

すると、嫌な話ですが、つまらないメールのやり取りでも、イラ立っちゃうんですよね。文体の裏にある人間性に気づいてしまうから。文体の嫌らしさにイラついて、メールを全部読めないこともよくある。絵文字ですら、イラ立つ使い方と楽しくなる使い方があるぐらいですからね。

また、文体だけで、誰が書いた文章か分かってしまうようなところもあるじゃないですか。文体は学んで獲得するようなところもあるのかもしれませんが、生まれつきの人間性が出るとも言えるんじゃないですかね。

適菜　露骨に出ますね。ネットの記事は最後に署名が入っていたりする。でも、最初の三行を読んだだけで髙橋洋一（一九五五－）が書いたと分かることとかありますよね。

中野　そうそう、最後まで読まなくても分かることがありますね。音楽でもそうなんじゃないですか。小室哲哉（一九五八－）が同じような曲ばっかり作っていたのと一緒でね。

適菜　あれはあれで逆にすごいですけどね。金太郎飴というか。文体が過剰で内容はなにもない。

ジョン・デューイ。哲学者、思想家

中野　小林も書いていたし、ジョン・デューイ（一八五九－一九五二）も強調してましたけど、大事なのは、やっぱりリズムなんですよね。私、嬉しかったことがあって、ある批評家に「あなたの文章は、なんか律動があるね」と言われたことがあった。「律動は文学者にこそなきゃいけないのに、律動がない文学者はいっぱいいる。あなた文学者じゃないのに、なんか律動があるよ」と言われて、「それは、そうかもな」と思った。文章のテンポとかって大事ですよね。適菜さんも非常に気を遣っていると思うけれど、改行や句読点の位置だけでも、中身の伝わり方も全然変わってきますからね。

適菜　気持ちの悪い音ってありますよね。発泡スチロールが擦れる音だったり。それと同じで、句読点や改行の問題もそうだし、同じ語尾が三つ重なると気持ちが悪いとか、生理的に感じるものはあります。つまり、文体こそが人間の生理であり、抽象化できないものなのですね。人間の生理から離れたものは信用できない。そこを突き詰めたのが小林だと思います。

中野　そういうことになりますね。

第二章

成功体験のある人間ほど失敗するのはなぜか

「型」や「文体」の重要性

中野　なぜ型や文体が重要なのかというと、小林が何度も同じことをいろんな表現で書いているんですけれど、抽象的に言うと「人間は環境の中にいて、環境と密接不可分な存在である。人が環境を作り、環境が人を作る」ということですね。近代合理主義の間違っているところは、環境と人とを分離したことです。

イギリス人やフランス人の人権はあるけれど、環境と関係なくはじめから普遍的人権というものがあるわけではない、という先ほどのバークの保守思想の話も同じです。「文脈」「環境」「時」「場所」とかと関係なく人間というものはあり得るんだ、というのは、近代合理主義の考え方に顕著な傾向です。しかし、現実には、人間は自分が生まれ育った場所など、あらゆる環境と密接不可分です。人間は確かに環境を変えるけれど、逆に、環境にも制約される。環境と個人とセットで自分だということです。これはまさにオルテガが人間を定義して「人間とは、人とその周囲の環境である」と言ったのとまったく同じです。近代合理主義の考え方をしていると、それが分からなくなってしまう。

それを表現するのに、小林は「大理石にノミを振るう彫刻家」という喩えを好みます。

この比喩は絶妙で、私は、ほんとにうまいこと言うなと思うんですけれど。大理石の硬さというのがあるから彫刻ができるのであって、大理石の硬さという環境の抵抗がなかったら彫刻という芸術は表現できないということです。彫刻は、単純に、彫刻家が自分の頭の中にあるものを大理石に投影して作るものではない。大理石の硬さという抵抗があって初めてできるのだ、ということを小林は言っている。人間の個性もまた制約する環境とセットなんだということですね。

適菜　ニーチェ（一八四四－一九〇〇）も同じことを言ってます。「自由」は闘争により勝ち取る過程において価値をもつのであり、抽象的な「自由」は人間に危害を加えると。ニーチェは人間は制約によって鍛えられるとも言います。

《しかし、人間という植物がこれまで最も力強く生長をとげてきたのはどこであり、いかにしてであるかを根本的に熟考してきた者なら、このことは以上（適菜註◎大衆）とは逆の諸条件のもとでおこってきたということを信ぜざるをえない。すなわち、そのためには人間の状態の危険がものすごく増大し、その発明・偽装の力が長期の圧迫や強制のもとで鍛えあ

オルテガ・イ・ガゼット。哲学者

げられ、その生の意志が、権力への、圧倒的権力への絶対的意志となるまで高揚されなければならないということ、また、危険、冷酷、暴行、心情におけると同じく路上での危険、権利の不平等、秘匿、ストア主義、誘惑術、あらゆる種類の奸策、要するに畜群の願望するすべてのものの反対が、人間類型向上のためには必然的であるということを》（『権力への意志』）

中野　まさにそういうことです。小林が書いたことに沿って言うと、環境の制約と戦うことが「フリーダム」。そして、環境の制約から逃れることが「リバティー」です。

適菜　ニーチェの話につなげて言うと、人権天賦説などという言葉もあるように、近代人は人権や自由、平等といった概念を神格化してきた。抽象化されて概念になれば、それを操作して権力を握る連中が現れる。

フリードリヒ・ニーチェ。哲学者、古典文献学者

　ニーチェは、人間の生、固有の歴史から切断された概念を警戒しろと言っているのですね。ニーチェの言葉を使うと「大地」です。

《わたしの兄弟たちよ、あくまで大地に忠実であれ、そして、きみたちにもろもろの超地上的な希望について話す者たちの言葉を信ずるな！　彼らがそれを知ろうが知るまいが、彼らは毒害者なのだ》（『ツァラトゥストラ』）

制約のあるところに「自由」がある

中野　小林は、環境に制約されないという意味の「リバティー」ではなく、環境制約の内にある「フリーダム」のほうの「自由」について繰り返し語っている。先ほど「型」の重要性について話しましたが、人間は環境の制約の内にあり、それと格闘するところに自由がある。環境の制約がなかったら自由もない。「型」とは、その自由の条件である環境の制約なのです。リバティーだけが「自由」だと思う人には分かりにくいかもしれませんが、環境の制約がないところに自由(フリーダム)はない。言い換えると、自分が選んだつもりでやったことと、環境に強いられてやったことが「一致」するときに、人間は充実感を覚える。それがフリーダムなのです。小林が「モオツァルト」で書いたのはそういうことです。

ヴォルフガング・アマデウス・モーツァルト(一七五六－九一)は即興を好んだ。即興は、環境の制約が特に厳しいわけです。「今、ここで曲を作れ」ということですから。それにチャレンジすることでモーツァルトは曲を生み出していった。敢えて時間や場所の制約を課して、その厳しい環境条件下で創造行為をやることに生きがいを感じていたのです。

小林はモーツァルトの独創を論じて「模倣は独創の母だ」と言っている。模倣とは「型」の模倣ですから、これも環境制約と自由の話と同じことです。「モオツァルト」について小林は「俺があれで一番書きたかったことは自由という問題だった」と自分で言っている。だから、「モオツァルト」という作品は、小林の「自由論」なんです。しかし、「モオツァルト」を自由論として読んだ人って、どれくらいいるのでしょうか。

小林が「モオツァルト」を発表したのは終戦直後ですけど、書いていたのは戦争末期で、書き終わったときには戦争が終わっていた。その戦争末期から終戦直後という、リバティーという意味では最も日本が不自由だった時期に、フリーダムについて書いてるんですよ。それが「モオツァルト」なのです。

ところが、小林の近くにいた大岡昇平(一九〇九-八八)ですら、小林は戦争が末期になると『無常といふ事』と『美』の世界に引きこもるようになったと批評している。「実朝」以降、終戦まで沈黙したと言う批評家もいる。小林は、沈黙どころか自由について書いていたのですがね。そんな調子ですから「モオツァルト」についても、芸術の世界に逃げ込んだものとみなされたのかもしれません。しかし、『モオツァルト』で、俺は自由について書いたんだ」って小林自身が言ってるじゃないか。

適菜　大岡と小林は仲はよかった。大岡は高校生のときに、小林にフランス語を学んでいるんです。それで、小林の勧めで小説を書き始めた。そういう関係だからキツイことも言う。大岡がテレビに出たときは「あの顔つきではダメだ」と一蹴したそうです。

中野　その大岡が、小林秀雄全集の解説でまったく逆のことを書いちゃったんですね。これほんとに恐ろしい話で……。

適菜　型の話に戻りますが、武道も芸能もすべては型です。制約のないところに和歌は存在できない。音楽もすべてそうです。歌舞伎にしても能にしても全部型ですよね。言葉という表層的なもので伝達できないものを、型として引き継ぐのが教育でした。しかし、近代社会においてはこういう考えは不評で、「型にはめるな」「型を押し付けるな」などと教員が言ったりする。でも宣長が言うように「意は二の次」なんですね。だから、武道でも芸能でも、子供のときから型を教える。かつての素読でも意は二の次で、声に出すことで対象に馴染んでいく。小林はこう説明し

ヴォルフガング・アマデウス・モーツァルト。音楽家

ていますね。

《暗記するだけで意味がわからなければ、無意味なことだと言うが、それでは「論語」の意味とはなんでしょう。それは人により年齢により、さまざまな意味にとれるものでしょう。一生かかったってわからない意味さえ含んでいるかも知れない。それなら意味を教えることは、実に曖昧な教育だとわかるでしょう》（『人間の建設』）

型を極めたところに、型破りは成立するのであり、最初から型がなければ「型なし」です。小林は、團十郎や藤十郎が、ひたすら型を究め、それを破ることにより技を得た。それはかつての学問のあり方と同じだと言っていますね。

「姿は似せ難く、意は似せ易し」

適菜　小林が言いたいのは「型」を通して伝達するものが重要ということです。言葉化・概念化により、漏れ落ちるものを「型」をとおして「馴染む」ということです。型、姿、フォーム、トーン、文体、顔、立ち居振る舞い、箸の持ち方……。こうしたものが軽視され、概念、内面性、抽象が重視されるのが近代社会です。近代人はオリジナリティや独創を重視するけど、小林に言わせればアホの極みです。実際の物事にぶつかり、物事の微妙さに驚き、複雑さに困却し、習い覚えた知識など肝心かなめの役には立たないと痛感する経験を通してでしか、独創性に近づくことはできないと小林は言っています。

中野　そうですね。小林は本居宣長の言葉を引いてますよね。「姿は似せ難く、意は似せ易し」と。普通は逆に捉えるけれど、本当は、姿のほうが似せにくいんだよ、と。要するに、抽象的な言葉による意味だったら簡単に人に伝えられるが、個別の状況の下にある自分の実体験なんてものは、どうやってても伝えようがないじゃないか、ということです。

適菜　文体も顔も品も誤魔化せない。自ずとにじみ出てしまう。だから小林はそこを重視したんですね。

宮本武蔵。江戸時代初期の剣術家、兵法家、芸術家

中野　そう、文体は誤魔化せないんですよ。恐ろしいですねえ。私が関心のある政治学で言うと、理論と実践について小林が語るところが面白いんです。小林を理解する上で重要なのは、丸山眞男みたいに「小林は理論を否定した」と考えてはいけなくて、

小林は「理論というのは、実践行為の中にあるんだ」と言ったということを押さえることです。実践は個別具体的なものだが、そこに理論がないわけではないということです。

例えば、小林は宮本武蔵（一五八四－一六四五）に感心するわけです。宮本武蔵が書いているらしいんですが、なぜ自分は一回も負けなかったか。それは、精神とか兵法の問題ではない。俺がなんでずっと勝ち続けたかというと、手先が器用だったからだ、単にそれだけ（笑）。なんか奥義とか極意とかって言って物々しく出てきたやつらが、手先が器用な俺にあっさり斬られた、と。この話に、小林は感動するわけです。要するに、高尚な哲学めかして「理性」がどうたらとか「真・善・美」とか言ってるやつは、まったくダメだということですよ。

適菜　理性万能主義や「真・善・美」といった発想の危険性を指摘したのが小林です。小林は批評は手の技だと思っているので、宮本武蔵の手先の器用さに注目したのでしょう。小林はモーツァルトに関して、《大切なのは目的地ではない、現に歩いているその歩き方である》（「モオツァルト」）と言いましたが、これは小林の自画像です。大事なのは手つき、タッチ、歩き方です。手の技が仕事を生み出すのです。

イチローと宮本武蔵

中野　『考えるヒント』に野球の話が出てきます。昔、豊田泰光（一九三五－二〇一六）という大打者がいたじゃないですか。その豊田が「俺はスランプだとか言っている若いやつはバカだ」と言っていたという話は非常に面白い。体は頭で考えている通りに動かない。「頭が理論で、体が実践だ」とみなし、「理論に従って実践が動いてる」と思っている人には分からないだろうけれど、頭と体、理論と実践は、本当は密接不可分なもので、野球の名選手は、訓練と経験を重ねることによって、頭と体を密接不可分にしようと努力している。

適菜　知行合一ですね。

中野　これが凡人には難しい。スランプというのは、頭と体、理論と実践がずれないように、長年、努力しているのに、どうしてもずれてしまうから起きることなんですね。だから、たいして努力もしていない若い選手が、「俺はスランプだ」とか言うのは、何も分かっていないというわけです。そういう豊田選手の話を小林は非常に面白がっている。そして、「そんなこと言ったら文学者の俺なんてしょっちゅうスランプだ」と言っているんです。それはまさに、切籠細工のように、こうじゃないああじゃないって文体を工夫している小林の姿なんですよ。

大打者というと現代ではイチロー(一九七三－)でしょう。以前、イチローが元プロ野球選手で解説者の稲葉篤紀(一九七二－)と対談したのをテレビで見たことがあります。まだ現役でアメリカでプレーしていた頃です。イチローはグラウンドで座り込んで対談しているんだけど、休まず手首や首を回してトレーニングしながら受け答えしているんですよ。非常に面白かったのは、トレーニングに最短の道はあり得るかという話題になったら、イチローが「無理だと思う」と強く否定。そして、トレーニングの知識ばかりがあってもダメで、遠回りや失敗の経験がないといい野球選手にはならないという話をした後、ぼそっと「合理的な考え方って、僕すごく嫌い」と(笑)。その一言で、私はイチローのファンになってしまったんですよ。

適菜 いい話だなあ。

中野 そうでしょ。やっぱり、どんな分野でも、道を極める人ってすげえなと思って。「合理的な考え方って、すごく嫌い」の一言で「イチローは偉大だ」と感動しました。

適菜 頂点を極めた人間はそこに気づくのでしょう。

中野 そうなんです。言うことは皆同じなんです。イチローも宮本武蔵と同じで、体の動きのことばかり考えてたんでしょうね。

イチロー。元プロ野球選手。現在はシアトル・マリナーズの会長付特別補佐兼インストラクター

適菜　小林は「眼高手低」についてこう述べています。

《それは、頭で理解し、口で批評するのは容易だが、実際に物を作るのは困難だと言った程の意味だ、とは誰も承知しているが、技に携わる人々は、技に携わらなければ、決してこの言葉の真意は解らぬ、と言うだろう。実際に、仕事をすれば、必ずそうなる、眼高手低という事になる。眼高手低とは、人間的な技とか芸とか呼ばれている経験そのものを指すからである》（「還暦」）

　バットの芯に球をあてるのも手の技です。それには球の動きを見なければならない。クロード・モネ（一八四〇―一九二六）も理論が嫌いで、印象派とカテゴライズされるのに困惑していました。小林は《モネは、印象主義という、審美上の懐疑主義を信奉したのではない。持って生れた異様な眼が見るものに、或は見ると信ずるものに否応なく引かれて行ったまでであろう。不安な視覚に堪え通したまでであろう。芸術家は、自分の創り出そうとするものについて、どんなに強い意識を持とうと、又、これについて論理的な主張をしようと、その通りに仕事ははこぶものではあるまい》(『近代絵画』)と言います。

中野 印象派って言うやつの印象が悪いって(笑)。

適菜 理論や合理じゃ頂点を極められないんです。概念化される過程で切り落とされるものがある。言葉で伝達できない領域がまさにそれです。近代人は傲慢だから「話せば分かる」というけど、話したって伝わらないことは山ほどあります。その領域を「型」によって伝えるのが師弟関係であり、それを身に着けるのが修業であったり、イチローの例でいえばトレーニングですよね。

中野 それで言うと、長嶋茂雄(一九三六-)の言うことを皆ギャグにしてますけど、長嶋は教えるのにオノマトペというんですか、「ブワーっと」とか「ガーッと打つ」とか、そんなことばかり言って、何言っているんだか分かんないらしい。だけど、それを言葉で合理的に教えるという発想自体が、もう間違いなわけです。一流は一流を知るから、松井秀喜(一九七四-)はほんとに長嶋のことを尊敬してますよ。長嶋と松井は、ほんとの師弟関係らしいじゃないですか。

適菜 どうやったら泳ぐことができるかは、言葉では説明できない。とりあえずプールに行って、水の中に入って、慣れないと始まらない。水の中でジャバジャバしてるうちに、泳ぐということを体が理解する。だから「ジャバジャバ」なんです。長嶋茂雄と同じです。

中野　保守思想家のマイケル・オークショット（一九〇一－九〇）やマイケル・ポランニー（一八九一－一九七六）も、同じことを言ってますね。料理というのは、料理本を読んで作れるもんじゃなくて、料理を実際に作って体得しないとダメなんだ、とかね。自転車に乗るのも、そうですよね。そういう実践して体得する暗黙知を非常に重視している。その暗黙知を体得するには、型をマスターするしかないんですよ。だから、野球や相撲なんかがそうですけれど、ああいう「型」重視のスポーツというのは、やっぱり面白いなと思う。アスリート達は本能的に型が大事だと知っているから、型を極めようとしている。

マクシミリアン・ロベスピエール。フランス革命期の代表的な革命家

私の分野で言うと、政治学や経済学、あるいは政治とか経済政策といったものも、本来は同じだと思うんです。理論のとおりに一律に政策を執行するのではなく、環境や状況に制約された中で具体的な政策実践の工夫を積み重ねるべきで、その政策実践を通じて理論を体得すべきなのです。だから、実は政治とか経済政策というものは、もっとスポーツみたいに考えるべきなのです（笑）。

適菜　理論を現実世界にあてはめればうまくいくという発想が間違っているのは、歴史が証明していますね。マクシミリアン・ロベスピエール（一七五八－九四）もポル・ポト（一九二五－九八）もそうですが、インテリのマッド・サイエンティストみたいなのが、すぐに「理性的判断」などと言い出す。思い上がりもはなはだしい。理性だけで世界を設計できるというのは近代的な妄想です。言語化できない領域を切り捨て、数値化し概念操作した結果が「近代」です。こうした近代のシステムの暴力を指摘したのが小林や保守主義者であるとしたら、近代人はそれを理解できないわけです。

中野　まさにそういうことです。

二宮尊徳の「書物の読み方」

中野　小林が二宮尊徳（一七八七－一八五六）の話をするところがあります。尊徳によると、書物を読むだけでは、言葉はつららみたいに固定的になっていて、そのままじゃ使えない。尊徳の言葉をそのまま引用すると、読む人の「胸の温気（うんき）」によって、言葉というつららを溶かして、水にして使う、つまり自分なりに解釈して応用しないとダメだというんですね。「本にこう書いてあったからこうなんだ」じゃなくて、本に書いてある趣旨を咀嚼して、自分のいるシチュエーションで活かさないとダメだと尊徳が言っている。そう小林が書いているんです。まさにその通りだなと思います。

適菜さんの『小林秀雄の警告』も私の『小林秀雄の政治学』もそうですが、小林の言葉を自分たちで溶かしたわけですよ。これは、まさに理論と実践の関係と同じです。状況の違いを無視して理論をそのまま当てはめてはいけないということです。

例えば、ヘーゲル（一七七〇－一八三一）でもマルクスでもケインズ（一八八三－一九四六）でも誰でもいいんだけれども、読んだ人が自分の胸の温気で溶かさないと、硬直的なヘーゲル主義、マルクス主義、ケインズ主義になってしまう。それは彼らの言葉を氷のままもってきているからであって、その言葉を溶かしてみることが大事です。すると、やっぱり古典というのは汲み尽くせないところがある。古典を溶かして今に活かすというのは、読み手側に温気がないとダメなんですけども、その温気というものこそが私たち自身の個性なんですよ。

二宮尊徳。江戸時代後期の経世家、農政家、思想家

適菜　溶かすというのは、対象が溶けるまで見るということだと思うんです。腑に落ちるというか。

これも小林が言っていることですが、道を歩いていて、スミレの花があったとして「スミレの花だ」って思った瞬間にそこで見ることを止めてしまう。「スミレの花」という概念が入ってくると目が動かなくなる。ヘーゲルでもマルクスでもケインズでも同じですね。よくある言い方ですが、マルクスはマルクス主義者ではなかった。彼らだって少し変わり者の生身の人間に過ぎなかったわけですから。

イデオロギーはものの本質を見えなくする

中野　デューイの芸術論にも同じようなことが書いてあります。デューイは、「知覚(Perception)」と「再認(Recognition)」を分けている。適菜さんも『小林秀雄の警告』で書いていたけれど、美術館の絵についている解説やラベルで「なんとか派」みたいなことが書いてあって、それを見て分かった気になるのが「再認」です。

例えば、向こうからAという人物が歩いてきた。「あ、Aが歩いてきた」「どうしよう、挨拶しようかしまいか」と迷う。「あ、Aだ」と思った瞬間が「再認」なのですが、その瞬間に、もうその人のことはこれ以上見ようとはしなくなる。これに対して「知覚」というものは、そうじゃない。例えば、向こうから歩いてきたAの様子がいつもと違うことに気づいて、「あれ？　今日のあいつは、おかしいぞ？　どうしたんだ？」とマジマジともう一回見るでしょう。これが、「知覚」です。その結果、その人のいつもと何が違うのかに気づくでしょう。

道端に咲くスミレの花を見て、「スミレの花」という名称だけ「再認」して何も感じずに通り過ぎるのか、見慣れたはずなのに、今まで気づかなかった新たな美しさを「知覚」してはっとするのか、という違いですね。

要するに、言葉による解説や名札といったものは、対象そのものを見る際の邪魔になるんです。それがあることで、かえってそのものを見えなくしてしまう。これがまさにイデオロギーというものですね。例えば「ケインズ主義」というラベルや解説は、本当のケインズの姿を見せにくくするんです。そうじゃなくて、もう一回溶かすということをやらなければいけない。つまりケインズを読んで自分なりに解釈することをしないといけないということなんです。私が『小林秀雄の政治学』でやったことも同じです。小林には、「文学者」「文芸批評家」といったラベルがあり、それが小林

ジョン・メイナード・ケインズ。経済学者

の姿をかえって見えにくくしています。もっと言えば、「小林秀雄」というラベルなのかもしれない。小林は「ああ、小林秀雄ね」で片付けられてしまっている。

適菜　ベルグソンはこう言っています。

《芸術の目的は、実用に役立つ記号の群れや慣習的社会的に受容されている一般観念、すなわち実在をわたしたちに隠している一切のものを取り除き、わたしたちを実在そのものに直面させる以外のものではないのである》（『笑い』）

ラベルを剥がしたものに、さらにラベルを貼ろうとするのですから、なにやってんだという話ですね。

中野　昔、本当にカチンときたことがありました。私が小林の解釈をしたところ、それを聞いていた老人が「小林が何を言っているのかは分かったけど、私は、小林ではなく、君自身の意見が聞きたい」と偉そうに言ってきた。こういうことを言う人って、よくいるじゃないですか。「ならば、あんたも、自分で小林を解釈してみろ。そうしたら、俺と同じ解釈にはならないことが分かるから」と言いたかったですね。私の小林の解釈は、もちろん小林の言っていることを説明しているのですが、しかし、それは私自身のオリジナリティでもあるんだということです。

昔から手垢の付いたはずの古典、アリストテレスでもイマヌエル・カント（一七二四－一八〇四)でもいいけれど、そういう古典を大勢の学者さんたちが飽きもせず何度も読んでは理解しようとしている。そして、次から次へとこれまでと違う解釈を出してくる。それは「氷を溶かす」ということをしているのでしょう。「解釈なんかいいから、君の意見が聞きたい」という人は、オリジナリティというものを勘違いしているんですよ。そして、本を読むことの本当の愉しみを知らないのでしょう。

適菜 小林は古典は汲み尽くすことができない泉みたいなものだと言っていますね。現代人が日々解釈をする。だから、常に古典は現代的であり、最新のものなんですね。それが分からない傲慢な人たちは「古典は古いもの」だと思い込んでしまっている。小林はこう言っています。

《古典とは、僕等にとって嘗てあった作品ではない、僕等に或る規範的な性質を提供している現に眼の前にある作品である。古典は嘗てあったがままの姿で生き長らえるのではない。日に新たな完璧性を現ずるのである。嘗てあったがままの完璧性が、世の転変をよそに独り永遠なのではない。新しく生れ変るのである。永年の風波に堪える堅牢な物体ではなく、汲み尽す事の出来ぬ泉だ。僕等はまさに現在の要求に従って過去の作品から汲むのであって、過去の要求に過去の作品が如何に応じたかを理解するのではない。現在の要求に従い、汲んで汲み尽せぬところに古典たらしめる絶対的な性質があるのだ》(「環境」)

だから、解釈を繰り返すことによって、その姿かたちを捉え続けることが大切なんですね。溶かすというのもそうだし、触れ合うというのもそうです。

僕は無智だから反省なぞしない

中野　新型コロナの感染拡大という新しい事態を理解しようとするときに「これは、インフルエンザと同じようなもの」「集団免疫を形成すればいい」と従来のありきたりの理論を当てはめて安心し、今までのインフルエンザと同じように理解しようとすると、失敗するわけです。戦争でいうと、小林は戦争に協力したとか、戦争の反省なぞしないと言って皆から顰蹙（ひんしゅく）を買ったとか、そういったところが強調されていますね。しかし小林をよく読むと、彼は戦時中から、この戦争が新しい事態であるため、既存の理論を当てはめて理解した気になっていると失敗すると警鐘を鳴らしていました。例えば、当時の「東亜協同体論」について、「そういうありきたりの理論で、未知の事態を理解しようとすると間違えるぞ」と批判していたのです。「われわれが直面している、この戦争というのは、今まで体験したことがないことなんだから、そういう現実の新しさ自体をよく見ろ」と小林は強調していました。

適菜　そういう人たちは未知のものを、自分の理解できる範囲に落とし込み、解釈するわけですね。現実を直視できないので、既存の概念の中から利用できそうなデータを探しだそうとする。自己評価とプライドだけは異常に高いので、間違ったことにうっすら気づいていても、撤回しないで押し切ろうとする。それをこじらせると、現実と願望の区別がつかなくなる。先の戦争もそうでしたし、新型コロナへの対応もそうです。こうして日本は焼け野原になったのです。

中野　人間は未知の新しい事態に対応しきれずに失敗するものなんですね。むしろ知識があったり、成功した人ほど、未知の事態が起きると、従来の知識や経験にとらわれて、失敗する。それはもう悲劇のようなものである。小林は日中戦争が始まったときから、そんなことを言っている。戦争が悲劇なのだとしたら、悲劇の反省なんかできるわけないじゃないかということです。だから、小林は《僕は無智だから反省なぞしない》と言い放ったんですね。

新型コロナについても「これはいつもとは違うからよく見たほうがいい」と判断して、大事を取って行動した人たちもいた。もっとも「よく見ろ」と言ったって、既存の理論ももちろん活用しなければいけないのでしょう。しかし、既存の理論に当てはめて、これでいいんだと済ませてしまうのと、既存の理論をあくまで仮説として捉え、既存の理論が当てはまらないことがあったら、すぐに修正して理論を更新していくという対応の二つがあったと思います。後者の対応を、まさに専門家会議の先生たちはやっていたんですよ。

だから当初の段階から「三密」を特定するなど、状況を確認し、認識を修正しながらやっていた。そういうやり方だったから、断定することができなかったり、慎重でありすぎたりした面もあるでしょう。あるいは、読み間違えた面もあったかもしれない。けれども、すぐにそれをフィードバックして、別のやり方を進めていたわけです。それなのに、専門家会議の予測が外れると、いちいち「外れた」と鬼の首でもとったかのように騒いで批判した言論人たちがいました。そんな彼らは、「新型コロナは風邪みたいなものだ」と言いふらしていた。つまり既存の理論で分かった気になっていた連中が、専門家会議を批判していた。専門家会議が新型コロナを新しい事態と認識して対応しようとしているということを理解せず、後知恵で専門家会議を批判する人たちが、あろうことか「保守」を名乗って、戦争の反省を繰り返し、戦後の後知恵で戦時中の政治指導者を断罪する左翼を批判したりしているわけです。しかし彼らが批判している左翼と、やってることが同じじゃないか。

適菜 小林の時代なら総力戦だったのだろうし、現在なら新型コロナかもしれませんが、国全体が緊急事態に巻き込まれることはあり得る。そのときに「僕は釣りに行きたい」とか「僕はライブをやりたい」と言う幼稚な人間ばかりになったら、そもそも国も社会も成り立ちません。これは保守とか自由主義とか以前の話です。

中野　そうそう。戦後の後知恵で歴史を反省することに反発していた「保守」が、今回の新型コロナという新しい事態に対応しようとした専門家会議を後知恵で批判している。要するに、左翼の自虐的な戦争観を批判していた人たちは、小林のような「かの戦争というのは、新しい事態に直面したことによって起きた悲劇である。だから反省しない」という理解ではなくて、「日本は、本当は、もっと良いことをやろうとしてたんだ」とか「フランクリン・ルーズベルト(一八八二－一九四五)が日本を戦争に追い込んだんだ」といった程度の戦争理解しかしていなかったのでしょう。つまり、「本当は、もっとうまくやれていたんだ」というような調子で、歴史を見ているのです。

適菜　馬脚を現したということではないですか。新型コロナを軽視していた連中の動向を見ても、結局、新自由主義や陰謀論、カルトに近づいていった。もともと「保守」でもなんでもなかったということです。

人間は同じパターンで間違いを繰り返す

適菜　新型コロナにより社会不安が高まる中、素人、デマゴーグ、無責任な人、高を括る人、陰謀論者が「単なる思いつき」を大上段から語るようになります。新自由主義に脳を侵された自称保守の連中が、新型コロナ軽視発言を続けたのはそれほど不思議なことではありませんでした。彼らは国家の役割を軽視するからです。しかし、ある程度まともな言論を続けてきた人も、今回はかなりおかしなことを言い出しました。

中野 以前、佐藤健志さんを交えた鼎談[注1]で話題をさらった例の大学教授のことですね(笑)。「ボクは自粛で山ほど嫌な思いをしています」と駄々をこね、「自粛に賛成している者は社交を知らないガキ」と書き連ねていた……。彼の文章は、文体からして酷かった。先ほども言いましたが、やっぱり出るもんですね、文体に。

適菜 あれには驚きました。新型コロナという「敵」に対して一丸となって戦うどころか、「文系と理系」「社交がある人とない人」などと、訳の分からない主張で社会を分断し、陰謀論に飛びついていった。この背景には特にこの三〇年間で急速に進んだナショナリズムの衰退と国家の機能不全の問題が存在すると思います。もっと驚いたのはそれに同調する人間が出てきたことでしたが。

中野 二〇二〇年の第一波では、日本はロックダウンもできないし、政府も混乱していたのに、諸外国と比べると感染者数や死亡者数を低めに抑えることに成功した。特に二〇二〇年の春の段階で、「これ、やばい」と皆思って、自主的にマスクをしたし、外出を自粛したわけですよ。強制力もないのに皆で自発的に行動した。「危ないから家にいよう」「人にうつすとまずいから、おとなしくしていよう」と、日本国民がまさに新型コロナという未知の事態に「黙って処した」んですよ。危機になったときには、とりあえず、皆で手を取り合って団結して行動しようという知恵が日本人にはあるんだ、と小林は言っていた。その話だなと思ったんです。それなのに、「へたれの日本人がマスコミに煽られて自粛している」「過剰自粛は全体主義だ」と騒いだ知識人がいたわけですよ。戦後左翼は「戦前の日本人は全体主義的で、デマゴーグに従順に従ったからダメだったんだ」と考え、「戦後は自立した個人にならなきゃいけないんだ。だから日本を改革するんだ。近代化するんだ」とやってきた。しかし、戦時中の日本人は、自立した個人じゃないから政府の言いなりになったんではないんですよ。「これは、危ない」と思ったから、皆で団結したという、当たり前のことをやっただけの話。そのことを小林は戦時中から言っていたわけです。今回の新型コロナ禍における国民の行動は、まさにそれですよ。

適菜　その一方で、社会不安の中で、デマゴーグが増長するという現象は変わりません。デマゴーグに流される人は一定数はいる。「ファクターX」というのもあくまで仮説にすぎないのに、それに飛びついて「日本人は民度が高いから大丈夫」などと麻生太郎（一九四

注1　https://www.kk-bestsellers.com/articles/-/624143/

○－）みたいなバカなことを言い出す。あれってまさに戦時中の「神風が吹く」と同じです。「ロックでコロナをぶっ飛ばせ！」などと見出しに掲げる変な雑誌まで登場しましたが、「竹やりでB29を落とせ」というのとどこが違うのでしょう。だから人間は同じパターンで間違いを繰り返すのです。

中野　びっくりするぐらい同じです。ちょうど、たまたま小林を読んでいたときに新型コロナが起きた。新型コロナって、ずっと家にいなきゃいけないから、小林秀雄全集が読めてしまったわけです。それで読んでいたら、本当に現在にも当てはまることがたくさん書いてあった。新型コロナというのは、実際に、戦争に喩えられてるわけです。特に海外では、国家指導者がよく戦争に喩えている。確かに、戦争と新型コロナとは同じようなところがある。新型コロナでも、日本人は「黙って処した」のです。それを「集団ヒステリーだ。理性的じゃない」と国民を批判している連中は、左翼が戦前の日本人を「自立していない」「近代的自我が確立していない」と批判していたのと同じことをやらかしたのですよ。これでは、小林が言ったことも彼らには理解できないでしょうね。

適菜　これが大衆社会の末路です。彼らは小林を読んでいないか、読めていないかのどちらかでしょう。

新型コロナの最も怖い症状

中野　小林は、確か一九八三年に死んでますよね。その年にちょうど浅田彰(一九五七–)氏の『構造と力』が出て、ニュー・アカデミズムというブームが起きたそうですね。ある編集者に聞いたのですが、小林が生きていたときは、小林の目が怖くて、下手なこと書いて厳しく批判されたらどうしようということで、論壇に緊張感があったらしいですね。当時の言論人たちは、小林の厳しい目を意識しながら、緊張感をもって文章を磨いてきたのでしょう。ところが、小林が死んじゃったら、皆緩んで、好き勝手なことを書くようになり、その頃から論壇がダメになっていったのではないでしょうか。

福田恆存と三島由紀夫(一九二五–七〇)が、三島が死ぬちょっと前ぐらいに対談をしていたのを、ある編集者からもらって読んだことがあります。そのとき二人は、高坂正堯(一九三四–九六)とか、要するに、その後「保守」として台頭する若い論客たちに対する違和感を吐露していました。三島、小林、福田といった世代の保守と、八〇年代以降の保守って、どうもやっぱり質的に相当違うみたいですね。小林は、あまりそういうことをしゃべっていないようですが。

適菜　文学者か政治学者かの違いはありますよね。三島、小林、福田は文学者だったけど、高坂正堯は政治学者でしょう。文学の領域って、保守が扱う領域と結構重なりますよね。要するに簡単に言語化できないものや、近代人に見えなくなっているものに価値を見出す。単に、地政学であったり、パワーバランスの問題を扱っている連中とは、本質的には違うと思います。それでも高坂の時代はまだ節操があったと思います。今ではネトウヨのブロガーレベルの連中やカルト勢力、陰謀論者が「保守論壇」を形成しているわけですから。

中野　なるほど、それは興味深い。そのズレが違和感の理由なんでしょうね。

適菜　さっきの小林の「目が怖くて」ではないけれど、今でもそういうことは往々にしてある。叱ってくれる人、意見を言ってくれる人、忠告してくれる人が呆れ果てて離れていき、周辺が信者やイエスマンばかりになると、歯止めが利かなくなり、暴走していく。新型コロナは言論人の人間性まで暴き出したのです。

中野　本当ですね。恐ろしい病気ですね。やっぱり、新型コロナは、インフルエンザよりはるかに怖い(笑)。単なるアジテーターに成り下がった言論人もいるし、大学の権威を落としてしまった学者もいますね。

適菜　新型コロナのワクチンも大事ですが、バカやデマゴーグを封じ込めるワクチンも社会全体で作っていかなければいけません。

第三章

新型コロナで正体がバレた似非知識人

福沢が説いた「私立と自由」

中野　福沢諭吉は「私立」という言葉を強調しています。言い換えれば「自由」ということでもいいと思うんですが、この「私立」の意味がちゃんと理解されていないと思っています。小林も「私立」というのを非常に強調しているんです。

私は、丸山眞男は福沢を誤解していると思います。丸山は戦前の不自由な時代を戦後は変えたいという意識が非常に強かった。丸山の解釈によると、福沢の啓蒙の目的は、封建社会の不自由な「気風」を自由な「気風」に変えること。この「気風」つまり、社会的な風俗や風潮を福沢は重視した。人間が自由でいられるか、いられないか。私立でいられるか、いられないかは、「気風」によって変わる。だから、社会の気風を自由にしなければいけない。それが福沢が目指したことだ。そう丸山は言っているんですね。つまり、自由や私立は、社会に依存するということになります。

適菜　はい。

中野　ところが小林の解釈は、そうじゃない。不自由な気風、自由な気風に関係なくて、気風に依存すること自体が間違い。気風に依存しないことが「私立」なり「自由」なんだということです。もう一つ、小林が『考えるヒント』とかで、よく好んで引用したのが中江藤樹(一六〇八－四八)の「天地の間に己一人生きてあると思うべし」という言葉です。これは、福沢の「私立」と同じ意味合いなのです。

藤樹は江戸時代の人ですから、丸山の解釈だと、封建社会に私立はあり得ないということになるんですけれど、小林はそうはとらない。「天地の間に己一人生きてあると思うべし」、すなわち「私立」は江戸時代でもあり得たということなんです。

適菜 要するに、前近代にも「私立」「自由」はあったと。

中野 「天地の間に己一人あると思うべし」とか「私立」とかいうのを、現代人は自意識過剰な個人主義と誤解しそうなんですが、もちろんそうじゃない。「私立」と福沢が言ったものは、制約や負荷がなくなって楽になるようなものではなくて、反対に、自分に負荷がかかる、かなり厳しいものです。

中江藤樹。江戸時代初期の陽明学者

先ほど話したように、リバティーは制約から逃れるという意味の「自由」のことですが、フリーダムは逆に制約がないとあり得ない。フリーダムは自分が生まれ落ちた制約、環境、こういったものを運命として受け入れて懸命に生きる、そういった意味合いです。「天地の間に己一人生きてあると思うべし」というのも同じで、自分の運命や宿命を自覚し、それを積極的に背負う。そういうときの内的経験のことを指しています。例えば「天職」という言葉があります。職業を好き勝手に選べるとか、一つの仕事に拘束されないのは「リバティー」かもしれません。しかし「フリーダム」は逆で、自分の仕事は「天職」、つまり「これしかないんだ、これ以外は自分にはできないんだ」という思いで仕事に打ち込むとき、人は充実感を得る。恐らくその充実感が「フリーダム」であるということなんです。

適菜　自由や私立という概念について考えるときも、福沢は脳天気な近代啓蒙主義者ではありませんでした。そして自分が置かれている状況に常に自覚的でした。日本という狭い世界だけではなく、世界史における自分のいる場所を考えた。そして過渡期に生きていることをただ恐れおののいたり、目を背けたりするのではなくて、好機として捉えるべきだと考えました。小林は福沢についてこう言っています。

《洋学は活路を示したが、同時に私達の追い込まれた現実の窮境も、はっきりと示したという事が見抜かれていた。そこで、彼は思想家としてどういう態度を取ったろうというと、この窮地に立った課業の困難こそわが国の特権であり、西洋の学者の知る事の出来ぬ経験であると考えた。この現に立っている私達の窮況困難を、敢て、吾を見舞った「好機」「僥倖」と観ずる道を行かなければ、新しい思想のわが国に於ける実りは期待出来ぬ、そう考えた》(「福沢諭吉」)

《西洋の学者は、既に体を成した文明のうちにあって、他国の有様を憶測推量する事しか出来ないが、我が学者は、そのような曖昧な事ではなく、異常な過渡期に生きている御蔭で、自己がなした旧文明の経験によって、学び知った新文明を照らす事が出来る。この「実験の一事」が、福沢に言わせれば、「今の一世を過ぐれば、決して再び得べかざる」「僥倖」なのである》(同前)

日本人は西欧人とは違った立場から近代を眺めることができる「特権」を持っている。それは「一身にして二生を経る」、つまり前近代と近代を経験しているからです。だから福沢の場合、単純に「リバティー」はすばらしいという発想にはならないのですね。

「痩我慢の説」とはなにか

適菜 新型コロナにも近代にも最初から答えが用意されていたわけではありませんでした。

中野 そうですね。もちろん新型コロナも明治維新も大きな出来事なので、「一身にして二生を経る」というような歴史の過渡期を経験することは、そう滅多にないのかもしれない。しかしながら、その一方で小林は「過渡期でない歴史はない」とも言っている。これも非常にいい言葉です。歴史は常に動いている。だから「一身にして二生を経る」ような今までの経験が通用しない、その環境に自分で処していかなければならないことは、実は常にある。人間は多かれ少なかれ、変化する環境に制約され、それに対処しなければならない。現在、われわれは、コロナ禍という厳しい制約の下で生きざるを得なくなっていま す。

そういう時代の制約から逃れる、つまり「新型コロナがなければ自由なのに」というのは、リバティーという意味の自由です。しかし、それがフリーダムであるとは限らない。もしかしたら大変ご苦労されているので勝手に想像したら悪いかもしれないけれど、例えば、尾身茂(一九四九−)先生をはじめとする公衆衛生や感染症の先生方、あるいは現場の医療従事者の方々は、大変な事態に巻き込まれて、自分の好きなこともできないし、休む暇すらない。リバティーって意味では、極めて不自由な生活をされている。けれども、なんとかこの難しい状況を打破して国民を説得しなければいけないとか、命を救わなければならないとか、いろいろ努力されている。先生方は科学者として、公衆衛生の専門家として、あるいは医師としての自分の職業・使命からご苦労されているときには、リバティーはないんだけれども、実はフリーダムはあるんじゃないか。感染症の学者や医療従事者として、今ほど使命感を覚えるときはないはずだからです。

適菜　なるほど。それこそ天職ですね。

中野　そういうフリーダムとしての自由を、日本に限らず、近代社会はきちんと理解してこなかった。

福沢が言った「私立」とは、日常的に言われている自由とはかなり違う。自由にも「リバティー」と「フリーダム」があると言いましたが、いわゆる「リベラリズム」とは、その言葉のとおり、リバティーのほうの自由の主義なんです。それは近代以降の比較的新しい概念です。マキャベリのいた頃のルネッサンス期、あるいは古代ギリシャの自由には、フリーダム的な意味がある。「共和主義的な自由」とも言います。要するに、自分が生まれた国で自分の役割を果たすという意味合いが強かった。この「フリーダム」のほうの自由を福沢は「私立」と呼んでいたと思うのです。つまり、環境制約とか自分の職業の制約の下、その自分に課された役割を全うすることが自由だと

福沢諭吉。啓蒙思想家、教育者

いう意味として、「私立」というものを考えていた。そう解釈することで、初めて福沢が「瘠我慢の説」を書いた理由が分かってくる。福沢が「リバティー」を説いているのだとしたら、なぜ福沢が「瘠我慢の説」を唱えたのか、理解できないはずなんです。

適菜 福沢の「瘠我慢の説」を小林は重視していました。

中野 その通りです。「瘠我慢の説」は、簡単に言うと、幕末から明治にかけて、勝海舟(一八二三―九九)とか榎本武揚(一八三六―一九〇八)とか幕臣だった人間が、明治政府と妥協したり明治政府に仕えたりしたのを福沢が批判して、「三河武士たる者、敵側につくなど、けしからん」「瘠我慢して、ずっと明治政府には協力しないということを貫けよ」と言ったのです。そのため、世間は「お前、文明開化って言ってたのに、三河武士って、急に何なんだよ」と驚いた。ところが福沢が説いた「私立」をフリーダムのほうで考えると、むしろ幕臣として三河武士以来の武士道を背負い、それを全うすることが「私立」であり「自由」であるのです。

とは言え、「自由」「私立」という言葉もなかなか福沢の言いたい意味に合致しないものだから、福沢自身がそれに「瘠我慢」という言葉を当てた。「瘠我慢」と言えば分かるだろうと。そのことについて小林がいたく感心している。確かに「瘠我慢」というのは面白くて、我慢だから制約されていることなんだけれど、瘠我慢は「俺は自発的に我慢してるんだ」ということでしょう。だから環境制約を受け入れるという意味の「自由」は、まさに「瘠我慢」だなということです。フリーダムという、共和主義的な自由を「瘠我慢」という言葉で表現する福沢のセンスはすごいと小林は感心しているわけです。

適菜　この「瘠我慢」という言葉を、今の時代に当てはめるとすると、どうなりますかね？

中野　先ほど言ったように、感染症の専門家や医療従事者は、大変な事態の中で使命感をもって頑張っておられるから「瘠我慢」ですね。それだけではなく、緊急事態宣言下での外出自粛も「瘠我慢」と言っていいんじゃないですか。もっとも、政府は、国民の「瘠我慢」にばかり頼っていないで、もっと支援を手厚くすべきだとは思いますが。とにかく、多くの日本人は、人の命を守るため、新型コロナを収束させるために、立派に「瘠我慢」していますよ。その「瘠我慢」を「コロナ脳」だとか「社交を知らないから自粛できるんだ」と騒いだ知識人がいました。その知識人は、自由と言えば「リバティー」だけで、「フリーダム」のことは知らないのでしょう。

適菜　今の日本で真っ当な保守思想を唱えている人間は、ほとんど死に絶えている。バカが保守を自称するので、世間的には「保守＝バカ」ということになってしまっている。それでも保守を死滅させてはならないと考えている人は瘠我慢しているのかな？

中野　今の保守論壇の中に、そんな立派な人、いるんですかね？

適菜　保守論壇とか言っているけど、頭のおかしい連中ばかりでしょう。

中野　頭のおかしい連中と言えば、適菜さんも『コロナと無責任な人たち』で書いていましたが。

適菜　新型コロナに関してデマを流す連中、いいかげんなことを言う連中が次々と現れました。新型コロナで重症化するのは老人だけ、基礎疾患がある人だけ、若者は大丈夫、騒ぎすぎ、ただの風邪のようなものとか。でも、若者が重症化したり、死んだりするケースも増えている。変異株や後遺症の問題もある。専門家の間でもいろいろな議論があったのに、ズブの素人が大声をあげて、デタラメなことを言い出した。現実を直視できなくなり、そのうち説明も支離滅裂になり、陰謀論にすがりつく人も現れた。これは危ないなと思ったので、一度経緯を振り返ったほうがいいと思い、まとめたんです。いい加減なことを散々言いながら、平気な顔をして、しらばっくれている連中は多いですからね。

中野　われわれと佐藤健志さんの鼎談[注2]（二〇二〇年八月〜九月）で話題になった藤井聡（一九六八―）・京都大学大学院教授の名前が出ていなかったのが、意外でしたね。一章分もうけてもよかったんじゃないですか。

適菜　たしかにその通りです。ネットでも同様の指摘は多かったです。そこは反省しています。対象を政治家と言論人に絞ったのですが、ド素人は基本的に外したんですよ。小川榮太郎(一九六七－)についても論及していませんし。

中野　なるほど。論じる価値もないと。

適菜　でもこの対談では、藤井聡という名前を出して批判します。危機に直面したときに人間はどのように振る舞うのかという問題を考える上で、非常に参考になる事例だと思いますので。

京都大学大学院教授

中野　あの鼎談で藤井氏について指摘したことを、ここでいくつか振り返ってみたいと思います。

適菜　私が最初におかしいと感じたのは藤井が西浦博(一九七七－)教授と尾身会長に公開質問状を出したときです。

《【正式の回答を要請します】わたしは、西浦・尾身氏らによる「GW空けの緊急事態延長」支持は「大罪」であると考えます》(二〇二〇年五月二一日)というあれ。[注3]

注2　https://www.kk-bestsellers.com/articles/-/624143/

注3　https://38news.jp/economy/15951

中野　くだんの「公開質問状」にこう書かれていたのを見て、私は正直、身の毛がよだつ思いがしましたよ。《万一、西浦氏・尾身氏が、当方の以上の断罪が不当なものであると考えるのなら、科学者として正々堂々と書面回答されることを強く要請します。彼等がそれをしないというなら、筆者は一人の学者として、西浦氏・尾身氏らが自らの大罪を認めたということなのではないかと考えます》

この異常さについては説明を要しないと思うけれども、勝手に「お前を断罪する」とかいう質問状を送り付けてきたやつに、書面回答しなかったら、どうして「自らの大罪を認めた」ことになるんですか？　公開質問状の返事がないから勝利宣言なんて、学者の振る舞いじゃない。批判があり、応答が欲しいなら、専門の学会や学会誌で気が済むまで論争してくれ。それが「科学者として正々堂々」というものでしょう。百歩譲って、自分の師匠格にあたるような権威からの質問状だったら、丁寧に書面回答するという礼儀もあるのかもしれませんが、藤井氏はそんなに偉いんですか？

適菜　その後、《今、「自粛派」になってしまっているのは、コロナに壊される「社交」を持たない人々なのだと思います》《僕は、自粛させられていることで、山ほど嫌な思いをしています》[注4]とか言い出したり。

「いつも行ってる酒場には行けない」「行こうと思ってたライブも中止になったし、やろ

う と思ってたライブも中止になった」「新入生歓迎のコンパだってできないし、今年行こうと思ってたイタリア出張もいけなくなった」「社交を持たぬ人々は、自粛のデメリットが分からないから、すぐに自粛しろと言いがちになる」と。それで「『やりたいことが（家族と職場以外）特に無い、自粛は嫌じゃ無い人々』は、そういう、コロナ自粛で苦しめられている人と、まったく個人的な付き合いを持っていない」と意味不明のレッテルを貼るわけです。「そしてそんな大切な社交が分からんようなガキは、大人の社会のあり方を決定する（尾身氏の言うような）自粛論に参画しちゃいかんのです」と。自粛している人もそれぞれ事情があるはずです。社会のことが分からないガキは一体どちらなのかという話ですね。「日本の文化的危機を回避する為、２ｍの社会的距離を取らずに感染拡大を防ぐ方法を明らかにし『満席状態でのライブ』ができる方針を模索すべく」ライブイベントを「実験開催」するというのもありました。

中野　当時、藤井氏は、高齢者等の対策「さえ」やっていればよいと言って、高齢者等の徹底的な「隔離」を提案[※5]していました。

高齢者等の対策「さえ」と聞くと、いかにも簡単そうな印象を受けます。しかし、現実

注4　https://the-criterion.jp/mail-magazine/m20200706/
注5　https://the-criterion.jp/mail-magazine/m20200406/

には極めて難しいオペレーションになります。例えば、藤井氏自身が書いているように、六〇歳以上の人は日本の人口の三分の一にもなる。しかも、感染者数が増えれば増えるほど、高齢者対策等の徹底は、いっそう難しくなるでしょう。ということは、高齢者等を守るためには、やっぱり、全体の感染者数を減らさなきゃいけない。しかも、人口の三分の一「だけ」を「徹底」隔離で、残りの三分の二は「眼鼻口には絶対触るな」「飯は黙って食え」「それを全部、自主的にやれ」なんて、言うのは簡単ですが、やるとなったら、もう大変です。その証拠に、藤井氏らの提案通りにやって成功した国など、世界中どこにもありませんね。

「新型コロナではたいして死なないのに、国民が新型コロナを過剰に恐れている、だからポピュリズムだ、だから大衆だ」「皆で自粛しているのは、空気の支配だ」とエリートぶる連中がいる。そこまで言うなら、私は大衆の肩をもちたくなる。みんな自分が新型コロナにかかることだけでなく、大切にしている人たちに接触することで相手を感染させることを恐れていたわけですよ。自分の命だけが大事だから自粛していたわけじゃない。他人の命のことを考えて自粛した、つまり自分を犠牲にしたんだ。それを「空気の支配だ」とか「自分の命だけが大切なんだろ」などと批判するとは……。

適菜　アメリカのドナルド・トランプ（一九四六－）はずっとマスクをしなかった。あれと同じ。ヤンキー体質。「お前らびびってんじゃねえぞ」って。

中野 もっと言えば、社交相手のためを思っての行為が自粛なら、自粛も立派な社交ですよ！

それなのに、藤井氏は「『自粛派』は社交を持たない人々」などとレッテルを貼った挙句に、「僕は、自粛で山ほど嫌な思いをしています。いつも行っている釣りに行けません。酒場にも行けません」などと……。結局、自分のことしか考えていないじゃないか。

こうした言論がフラストレーションがたまった人々の耳に入ると、どういうことになるか。「どうせ先の短い高齢者等の命を守るためだけに、どうして若者が経済的に苦しい思いをしなきゃいけないんだ！」「高齢者等のせいで、社会全体が苦しいのは不合理だ」という風潮が煽られるでしょう。

つまり「高齢者等対策『さえ』していれば大丈夫」は、「高齢者等『さえ』いなければ大丈夫」への道だということです。高齢者等の弱者を敵視し、それを切り捨てるのが社会全体のため。こういう風潮になったら、まさに全体主義の到来です。こうなるのが、非常に怖い。

適菜 藤井聡や京都大学准教授の宮沢孝幸(一九六四－)は、当初、若い人が活動して積極的に免疫を獲得し、集団免疫を形成するという戦略[※6]を唱えていましたよね。

中野　そうなんです。他方で、彼らは「～さえ徹底すれば、感染しない」としきりに喧伝しています。しかし、彼らの感染防止策を徹底したら、集団免疫の形成は遅れるのではないか。感染を拡大していいのか、感染防止を徹底すべきなのか、どっちなのかよく分からない。彼らが集団免疫戦略を撤回したのか、していないのかも、よく分からない。

国民の不満につけ込み、うまい話をぶら下げ、数字を操作し、特定の敵を設定して執拗に攻撃し、メディアを多用して煽動し、自分の主張だけを一方的に押し通すが、論理的一貫性などおかまいなし。これは全体主義の典型的な手法で、かつて藤井氏は、橋下徹（一九六九－）・元大阪市長が「大阪都構想」でそれをやっていると批判した。ところが、今回は、自分がそれをやっている。越えてはならぬ一線をあっさり越えましたね、彼は。

人を説得することは可能なのか

適菜　こういうおかしな連中に何を言っても無駄という無力感に襲われることはあります。小林秀雄は、若い頃は人を説得しようとすることが多かったそうです。それで相手を叱ったり、非難したりしていた。でも歳を取ったら丸くなっちゃった。「丸くなった」という言い方が適当か分かりませんが、説得は無駄だと思うようになった。小林はこう言っています。

《ぼくは、とにかく人を説得することをやめて二十五年くらいになるな。人を説得することは、絶望だよ。人をほめることが、道が開ける唯一の土台だ》（「文学の四十年」）

《ずいぶん昔のことだけど、サント・ブーヴ（一八〇四－一八六九）の「我が毒」を読んだときに、黙殺することが第一であるという言葉にぶつかったが、それがあとになって分かったな。お前は駄目だなんていくら論じたって無駄なことなんだよ。ぜんぜん意味をなさないんだ。自然に黙殺できるようになるのが、一番いいんじゃないかね》（同前）

これはどういうことなのか？　人を説得するということを突き詰めて考えると、最終的には脳の構造の問題とか、体質とかの話に行き着いてしまうのかもしれない。オウム真理教に騙された人も、無知だから騙されたのではない。インテリも大勢騙されている。なにかを「正義」だと思い込んでしまった集団が特定の世界観の中で暮らすようになると、外からの声は聞こえなくなる。それで自分たちはいわれもない誹謗中傷を浴びていると被害妄想を膨らませる。それこそ、ウイルスを排除する免疫系みたいなもので、何を言っても無駄ということになります。今回の新型コロナ騒動においても、これまである程度まともだと思っていた人が、急速におかしなことを言い出したり、陰謀論にはまっていった。そ

注6　https://the-criterion.jp/mail-magazine/m20200604/

して言葉が通じなくなった。中野さんはこれをどう考えますか？

中野　人を説得できないということについて、思い当たることがあります。小林は大正時代に青春を過ごしているので、西田幾多郎（一八七〇－一九四五）の影響を受けたと思うんですが、その西田がしきりに言ったのは、主観と客観は完全に分けられないということ。これは、オルテガも言っていることですが、人とは個人とその周囲の環境、両方のことだ。あるいは、「人が環境を作り、環境が人を作る」と言ってもいい。だから、主観と客観は分けられなくて、その人はその人の境遇とか、育ってきた環境とか、もろもろその人にしか経験していないことでできている。その人の価値観や思想も、本当はその人の生に固有のものとしてある。ただ、人間はコミュニケーションをしないと生きていけないので、言葉というもので自分の意思や経験をある程度切り取って抽象化して相手に伝える。そうやって、コミュニケーションをとるけれども、実際の自分の本当の意思や経験を伝えるのは不可能なんです。なぜなら、言葉で伝えられるものには限界があるからです。これはこれまで話してきた「物事を伝えるのに、言葉をいかに工夫するか」というようなこととつながります。

オルテガやジョージ・ハーバート・ミード（一八六三－一九三一）を読んでいたら出て来たのですが、西洋人の慣用句なのか知らないけれど「自分の歯の痛みは人には分からない」

という表現がある。「歯が痛い」とか「ズキズキする」とか、いろいろな言葉で人に伝えるけれども、本当にどの程度痛いかとか、自分が感じているダイレクトな感覚は言葉では表現できない。そう考えると、自分と根本的に違う人間を説得したり、価値観を共有したりするのは不可能だということになる。なぜなら説得は言葉でやるものだけれど、言葉は自分の考えを正確に伝えられないから。身も蓋もない話なんですけれどね。

適菜　話せば分かるとか、言葉ですべてが説明できるというのは傲慢な発想です。小林はこう言います。

《批評家は直ぐ医者になりたがるが、批評精神は、むしろ患者の側に生きているものだ。医者が患者に質問する、一体何処が、どんな具合に痛いのか。大概の患者は、どう返事しても、直ぐ何と拙（まず）い返事をしたものだと思うだろう。それが、シチュアシオンの感覚だと言っていい。私は、患者として、いつも自分の拙い返答の方を信用する事にしている》（「読者」）

フランス語の「シチュアシオン」は英語で言えば「シチュエーション」ですね。これを小林は「現に

西田幾多郎。哲学者

暮らしているところ」と訳しました。

中野　自分の本当に言いたいことはどんなに言葉に尽くしても表現できないし、相手だってそれを正確には絶対受け取らない。だからこの「歯の痛みは人には分からない」という表現は、ある意味、言葉や思想を考え尽くした西洋の哲学者が恐ろしいことに気づいたということでしょう。要するに、人は絶対に分かり合えない。それがさっきの「私立」という言葉にも戻ってくるわけです。つまり、これは西洋に限らない。中江藤樹も「天地の間に己一人生きてあると思うべし」と言ったわけです。要するに、最後はよくよく突き詰めると孤独なんだ、分かり合えないんだ、という感覚ですよね。だから、説得なんてものは結局のところ不可能と言っていい。

適菜　身近なところにいた人がおかしな考え方にはまっていくケースは一般にもよくあります。家族がマルチ商法や新興宗教にはまったとか、おじいさんにパソコンを買ってあげたらネトウヨになっちゃったとか。そういうときに、なにができるのかという問題は考えておかないといけない。

中野　ところで、リベラリズムは「〜からの自由」「リバティー」の主義だと言いましたけれど、そのリベラリズムにもいいところがある。リベラリズムは、多様性を重んじ、相手の意見に寛容であるべしという主義です。しょせんお互いに理解し合えない。だったら、自分の生まれもった環境や気質や人生経験で出来上がった固有の思想なり考え方を無理に一致させようとするのではなくて、どうせ最後は分かり合えないということで納得して、違った意見のまま、ある程度、共存するのを認める。妥協して「暫定協定」を結ぶわけです。これが保守的なリベラリズム、あるいはリベラルな保守主義です。

さて、「人を説得することはできるか」という問題に戻ると、本質的に違った人間を言葉ごときで説得するというのは不可能である。その言葉の問題と関係するのが、適菜さんが『コロナと無責任な人たち』でしきりに書いておられた「自己欺瞞」の問題です。自分を自分で騙すというのは、言葉で自分を騙している。つまり、自分で言葉を発して、その言葉を自分で理解して「俺はこうだ」と勝手に決めつけ納得する。例えば「俺は日本のためを考えているんだ」「国民のためを考えているんだ」「俺は誰の批判も恐れないで正義を貫いているんだ」と自分で自分に言い聞かせる。

『コロナと無責任な人たち』

自分に言い聞かせるなんてことができるのは、多分、言葉のせいでしょう。イソップ寓話の「狐と葡萄」はまさに自己欺瞞の話ですけれど——狐は言葉をしゃべれないので本当は自己欺瞞もないんですが

――言葉は、自分で自分を騙すツールでもある。自己欺瞞に陥っている連中を見ていると、言葉というものは、つくづく恐ろしいものだと思います。

「言葉の恐ろしさ」と自己欺瞞

適菜　新型コロナについての判断の間違いを認めることができない連中は、自分の発した言葉にしばられてしまったのでしょうね。言葉の恐ろしさを自覚するのが本来の保守であるはずです。保守主義とは近代において、理性や合理ですべてを割り切れるという発想を批判し、表層に浮かんでこない知を重視する立場のはずですから。だから過去の保守思想家は宗教や迷信、先入見を擁護しました。しかし、理性過多になって、自然との接続がなくなると、概念は暴走していく。

中野さんがおっしゃったように、言葉では世の中すべてを捉えることはできません。それどころか、誰でも知っているようなことでも、言葉では説明できなかったりする。本田宗一郎(一九〇六－一九九一)は誰でもリンゴの味を知ってるが、リンゴの味はこれだという適切な言葉はないと言っていますね。コーヒーの香りですら言語化することはできない。自転車の乗り方も、泳ぎ方も言葉では伝達することができない。だから、実際にやってみて習得するしかない。

概念では世界のわずかな領域しか示すことができない。だから、理性だけでのぼせ上がった頭でっかちのバカは危険なんです。その一例が藤井聡の「自粛厨」だの「コロナ悩」といった発言でした。マッド・サイエンティストみたいなのが真善美とか「当方の理性的な説明を教えて差し上げる」などと言って、社会を変革しようとするのが一番危ない。ギルバート・キース・チェスタトン（一八七四－一九三六）は保守主義者ではありませんが、彼の《狂人とは理性を失った人のことではない。狂人とは理性以外のあらゆる物を失った人である》という言葉はその通りだと思います。

中野　二〇二〇年の春頃、大騒ぎするマスコミや、外出自粛を求める感染症の専門家たちに対して、「インフルエンザや自動車事故で、もっと大勢死んでいるのに、この程度で騒ぐのはおかしい」とか「命より大事なものはないなどという生命至上主義を懐疑すべし」といった批判を展開した知識人たちが出てきました。その後、新型コロナは世界中で大勢の死者を出し、国内でも大阪を医療崩壊させるという事態をもたらした。ところが、彼らの中には、未だに「自粛には効果がない」「緊急事態宣言は不要だ」という新型コロナ軽視の論調を続けている者がいる。

適菜　頭の中が更新されていないんです。「メディアが騒ぐので過剰な行動制限がかかり経済が疲弊している。これは全体主義だ」といったレベルの言説も一時期蔓延していましたね。「自殺者が増える」「夜の街の人がかわいそう」と言って善人面して見せたり。新型コロナで死ぬ人は気の毒ではないのか。本当に気持ち悪い。批判すべきは、場当たり的な政策で社会を混乱させ、必要な補償をしようとしない政府です。

中野　そういう新型コロナ軽視論のボスみたいな学者にくっついて言論活動をしている知り合いがいました。その彼——名前は敢えて伏せますが——と話していたら、何と、自分のボスの議論がデタラメだと分かっているのです。だったら、そういう言論活動から離脱すべきだと彼を説得しようとしたことがあります。でも、ダメでした。その彼は「別に、自粛しないのは不謹慎だという風潮に異を唱える意見があったって、いいじゃないですか」とか「僕の関心は、もっと別のところにあるんです」とか、あれこれ御託を並べて、結局、離れようとはしないのです。要するに、間違っていたと分かっているのに、態度を改めないで済む理屈を自分で考えて、自分で納得しようとしている。自分を騙しているんです。こういう自己欺瞞に閉じこもった人間を説得するのは不可能です。とりわけ知識人、言論人は、言葉を極度に武器にしていますよね。そうすると、知識人、言論人には、自己欺瞞に陥りやすい危険性がものすごくある。

適菜　言論を勝ち負けにしちゃうということですか？　ネット上のスラングなのかよく知

りませんが「謝ったら死ぬ病」というのもあるそうです。

中野　そう言ってもいいのですが、要するに、こういうことです。あの新型コロナ軽視の知識人の集まりは、新型コロナの騒動が起きた当初は明らかに高を括っていて、どうやら、「皆が自粛しようと言うからって、しずしずと自粛するんじゃ面白くもおかしくもないじゃないか」という気分だったらしいのです。つまり、権力、世論の大勢あるいは空気の支配にあらがうのが知識人だとか、人と違ったこと、ひねりの利いたこと、人が気づいてないことを言って注意を引くのが知識人なんだという了見ですね。

もちろん一般大衆が何も考えずに「オリンピック賛成」とか「平和は大事だ」とか言っているときに「俺は必ずしもそうは思わない」と言ってみるとか、世論とは違った視点を提供してみるとか、別にそういうことをやったっていいんですよ。いやむしろ、それは非常に重要なことであるし、確かに知的で面白いことでもある。一石を投じるのが知識人、言論人の役目と言ってもいい。しかし、単に「人と同じことを言うのでは、知識人としてつまらんから、ちょっと違うことを言ってみた」という気分だったのなら、新型コロナ禍をネタにして、知識人ぶって遊びたかったというにすぎないのですよ。

適菜　本当にその通りです。要するに不謹慎なんですよ。これは人の生死にかかわる問題です。面白くもなんともない。しかも間違いを認めず、屁理屈で誤魔化したり、大声をあげてみたり。自称国際政治学者の三浦瑠麗(一九八〇-)にいたっては新型コロナを軽視し、政府のデタラメな対応を擁護し続け、とりかえしがつかなくなった後に、国は「高を括っていたんじゃないか」などと言い出した。卑劣、無責任、盗人猛々しい。その瑠麗が満を持して『表現者クライテリオン』に登場したわけだから、落ち着くところに落ち着いたのかと。そのうち、瑠麗のお仲間の橋下徹も登場するんじゃないですか。

二〇二〇年の一律一〇万円の特別定額給付のとき、橋下は公務員や生活保護受給権者は受け取るなと言い出しました。維新の会お得意の「公務員を叩いて社会に蔓延するルサンチマンを回収する手法」です。既得権益を叩き「改革者」を気取ることで、支持を集める。その結果、なにが発生したのか?

橋下は知事、市長時代に医療福祉を切り捨てます。公立病院や保健所を削減したほか、医師・看護師などの病院職員、そして保健所など衛生行政にかかわる職員を大幅に削減しました。こうして発生した医師や看護師、保健所の人手不足、脆弱(ぜいじゃく)な検査・医療体制が、新型コロナの感染拡大を招いたのは明確です。これを改革と称し、「黒字になった」と胸を張っているのですから、政治の役割についても、経済についてもなにも理解していないのでしょう。

連中は「データを見ろ」とよく言いますが、感染者を減らさずに緊急事態宣言を解除すると経済損失は膨らむという東大の研究もあります。この研究だけが正しいというつもりはありません。専門家の間でも意見は対立しているところもあるし、それぞれの意見を見なければならない。そういうことをせずに、同じような意見をもっている人ばかりを集め、都合のいい情報だけチェリーピッキングしていると、人間は急速におかしくなっていくのです。

「知識人ごっこ」の危うさ

適菜 二〇二〇年の早い時期に、判断を間違えて「知識人ごっこ」を始めてしまったなら、まだ弁解の余地があります。私は新型コロナについて判断を間違えた人々を後知恵で批判するのは間違っていると思います。誰しも判断を誤ることはある。問題は次々と新しい事実が判明しても自分の判断の間違いを認めることができず、大声を出し自己正当化をはかろうとする連中です。「自分は社会の困窮者を救う悲劇のヒーローだ」みたいな自己陶酔に浸った大学教授が、正義(と本人が思い込んでいるもの)のために暴走を続けましたが、新型コロナ発生からどれだけの時間が経ち、どれだけの新しい事実が明らかになったのかという話です。結局、現実を直視できない人間が被害を広げるのです。

中野　おっしゃる通りです。まさにそのことを言いたかったんです。初期の段階で新型コロナについてよく分からないので高を括って、いつも通り、知識人ぶって、一石を投じてみた。そこまでは、まだいい。だけど、彼らにとって不幸だったのは、新型コロナは当初の想定以上に危険なものだったことが半年、あるいは一年経って判明したということです。そうしたら途中で直せばいいわけです。ところが、今さら、直せないということらしい。

　そうするとやり方は二つあって、一つは適菜さんがおっしゃった三浦瑠麗氏みたいに、自分が高を括っていたことを棚に上げて、後出しジャンケンで「政府は高を括っていたんでしょうね」などと批判してみせる。以前は何を言っていたかなんか、皆いちいち覚えていないだろうから、節操なく変節して生き残るという戦略ですね。もっとも、そんな戦略なんていう大層なものではなく、単に、以前に言ったことを覚えていないだけかもしれないけれど。

　もう一つは、そこまで節操をなくせない連中は、「当初からの自分の主張はやっぱり正しかった」と、ありったけの知恵を絞って何とか理屈をひねり出そうとする。

適菜　それでだんだん鼻息が荒くなる。感情的になって大声をあげたり。

中野　だけど、いくらでも修正するチャンスはあったわけです。「最初はよく分かってなかったが、後で事実が判明したから」と言って修正するのは、別におかしいことではありません。あるいは、「新型コロナが変異したので状況が変わりました」と言う手もあったわけです。つまり、二〇二〇年の春は確かに「若者は心配しなくていいんだ、高齢者だけ守ればいいいんだ。若者は普通に生活して集団免疫を獲得すればいいんだ。だから緊急事態宣言はいらないんだ」と言っていた。けれど、変異株が現れて若者も重症化することになったということで「去年と違って、緊急事態宣言が必要になりました」と言えばよかったのです。もっとも、厳密に言うと、感染が拡大すると変異する可能性も高まるらしいから、本当は弁解の余地はないんですが……。まあ、そうは言っても、ウイルスが変異して状況が変わったんだから、言っていることが変わったって、正しいほうに変わる限りは、誰もそんなに責めたりはしませんよ。

適菜　まともな感染症の専門家は皆新型コロナが変異したのだから、対応や判断を変えるしかないと言いました。当たり前ですよね。だからあそこまで極端な形でぶっ壊れたのは藤井聡と、その周辺だけだと思います。もう「自粛」の効果を否定することだけにやっきになっていて、自分でもなにをやっているのか分からなくなっているのではないですか。

中野　確かにそうですね。藤井氏は二〇二〇年六月のある討論番組で「僕が間違っていたら、筆を折って人前に出ないようにしますよ」[注7]などと口走っていました。あの時点で、世

注7　https://www.youtube.com/watch?v=Dy-HZykbgfY

界中の感染症や公衆衛生の専門家が苦戦している未知のウイルスについて、専門外なのに、そう断言してしまった。信じ難い傲慢さです。でも、そんな大見得を切ってしまったもんだから、その後、修正できなくなっている。これはもう救いようがないなと。

適菜 先ほども言いましたが気持ち悪いのが善人面することです。

中野 善人面しますね。怒って叫んでみせたり、ため息ついて悲しんでみせたりの三文芝居。

適菜 自分たちは正義の味方であって、自殺者に対して同情しているんだ。夜の町の人たちがかわいそうだ。ライブハウスの経営者がかわいそうだ。自粛が必要という人間は思いやりのない人間だ。だからわれわれは理性に基づき「真実を教えて差し上げる」と。その一方で弱者切り捨ての新自由主義者に接近する。私のフェイスブックの知り合いでも、あいうのに騙された人は多い。あれはすごく悪質です。

中野 善人面しているうちに、本気で「俺は正義の味方だ」と自己陶酔に陥ったようにも見える。善人ぶった言葉を発すると、その言葉に自分が酔ってしまう。この自己陶酔という現象も、言葉のせいですね。そもそも、フィクションというものは、言葉があるから可能になるわけです。そして、言葉が作ったフィクション、あるいはバーチャル・リアリティで、自分を騙すこともできてしまう。

例えば、第四波の緊急事態宣言の前後、大阪や東京で感染者数が増え続ける中で、藤井氏は、感染者数の「増加率」が減ったのを勝手に「収束」という言葉で定義して、「収束に向かっているから緊急事態宣言は必要なかった」[注8・9]とツイッターで主張していました。

しかし、言うのもバカバカしいですが、増加率が減少しようが一〇〇％以下にならない限り、感染者数は増加しているわけですから、普通はそれを「収束」に向かっているとは言わない。特に大阪は医療崩壊しかかっていたんですから、少なくとも、対策を強化する必要がないなどという結論になるはずがない。実際、それをたくさんの人にツイッターで指摘され、批判され、嘲笑すらされていました。

適菜　反論できないので、よく分からない説明を始め、墓穴を掘った。間違いを認めるとプライドが傷つくので完全に開き直ったのでしょう。

中野　しかし、下手すると、あれは意図的にデマを流しているのではなく、本気で「収束している」から、緊急事態宣言はいらない」と思い込んでいるのかもしれないですよ。つまり、「収束」という言葉で自分を騙し切ってしまった。あそこまでいくと、そう思わざるを得ない。そう考えると、言葉って、つくづく恐ろしいと思いますね。言葉によるバーチ

注8　https://mobile.twitter.com/tera_sawa/status/1384070738755594
注9　https://twitter.com/SF_SatoshiFujii/status/1390462624576335873

ャル・リアリティの最たるものが陰謀論ですね。

適菜 藤井聡は、武田邦彦（一九四三－）や内海聡（一九七四－）といった陰謀論者とつるみはじめたり、宮沢孝幸や三浦瑠麗に飛びついた。ある人が「完全にダークサイドに落ちてしまった」と言っていましたが。

中野 まさに、言葉を操る知識人が最も警戒すべきダークサイドです。そういえば、藤井氏は出演したラジオの中で、自分の言うことがちっとも受け入れられないというので、いきなり善人面をかなぐり捨てて「大嫌い、日本人」って悪態ついてました。[注10]

適菜 橋下徹と同じです。橋下も発言を批判されたら「日本国民と握手できるか分からない」と言い出した。橋下は「日本的」という言葉をマイナスの意味で使います。自分の主張がなぜ受け入れられないかを自省せずに「大嫌い、日本人」と叫ぶのなら、日本のことには口を出さないでほしい。

中野 緊急事態宣言は不要と唱える藤井氏や宮沢孝幸氏は「目、口、鼻さえ触らなければ大丈夫」と言っていましたが、人間は日常生活の中で無意識に目、鼻、口を触るわけですから、絶対触るなと言われてもできません。そんな無理筋の提案をしておきながら、それが受け入れられないからって「大嫌い」って言われてもね。

適菜 宮沢は二〇二〇年六月一二日に大阪府新型コロナウイルス対策本部専門家会議にオ

ブザーバーとして参加し、「空気中にウイルスは飛ぶが感染しないレベル」と発言します。府知事の吉村洋文（一九七五－）は会議終了後「コロナが空気感染しないという意見があり、そうであればソーシャルディスタンスのガイドラインが正しいのか早急に見直したい」と応じました。しかし、その後、宮沢は空気感染すると言うと世間が混乱するから、空気感染はしないと言っていたと、嘘をついていたことを自白しました。これは飼い猫が書いているという体裁にして宮沢が「note」（二〇二一年五月三日）に載せた記事[注10]で《本記事は無断転載、引用禁止》とあるので、趣旨を要約します。

《新型コロナウイルスは空気感染するが、その確率は低い。空気感染すると言うと世間が混乱するので、一般的にはしないと説明していた。番組によっては「しない」と言い切った。それには理由がある。そう言わないと、皆電車に乗れなくなる。テレビでは細かい説明ができない。テレビでは端的に言い切らないといけない。科学的にしゃべるには限界がある[注11]》

「科学的説明を尽くしても限界がある」ということと、「テレビの事情があるから科学的事実を捻じ曲げた」というのはまったく別の話です。こんなのが許されていいわけがない。

注10 https://www.youtube.com/watch?v=qBbw7oJ7YGs
注11 https://mobile.twitter.com/miakiza20100906/status/1389599847930421254

宮沢の発言を真に受けて新型コロナに感染した人がいたら、一体どのような責任をとるつもりなのか？　それでネットで見かけて面白かったのが、宮沢が目をこすってる写真。

中野　今の世の中、どこからかそういう写真を見付けてくる人がいるんですよね（笑）。

第四章

思想と哲学の背後に流れる水脈

マイケル・ポランニーの「暗黙知」

適菜　先ほど「人を説得することは可能なのか」という問題を扱いましたが、その核心部分をハンガリー出身の物理化学者・科学哲学者のマイケル・ポランニーと絡めて中野さんと論じたいと思っています。

中野　私がポランニーの「暗黙知」で面白いなと思ったのは、ポランニーがプラトンの『メノン』を引いてくるところがある。そこになんて書いてあるかというと、プラトンいわく「問題の解決策を探すというのはパラドクスである」。その意味は、「何を探しているのかを分かっているんだったら、問題はそもそもないじゃないか」「逆に、何を探しているのか分かっていないんだったら、何か見つけられるわけないじゃないか」と。裏を返すと、「問題は、～だ」といって、問題を設定できるということは、もう答えがどこかにあることを半分知っているからこそできるのである。もし、答えがどこにあることすらまったく分かっていないんだったら、そもそも何が問題であるかも分からないんじゃないか。そういう面白いことをプラトンが『メノン』の中で書いている。

このパラドクスをポランニーは面白がっています。そしてポランニーはこう解いてみせた。世の中には言葉や数字で表現できる「明示的な知識」、いわゆる「理論」があるが、それはいわゆる「知識」と呼ばれるもののごく一部にすぎない。本当はそういう言葉や数字では表現できないような、「言うことはできないが、知っている」ことがある。それをポランニーは「暗黙知」と呼んだ。「暗黙知」とは、要するに、経験や行為によって、いつの間にか体得しているような知識のことですね。

適菜　ポランニーは《私たちは言葉にできるより多くのことを知ることができる》（『暗黙知の次元』）と言いました。例えばわれわれは知人の顔とその他大勢の顔を一瞬で区別する能力をもっている。しかし、どのようにして顔を見分けているのかは言葉に置き換えることができない。このように意識の表面には上らないが「知る」という作用に背後で決定的な影響を及ぼしているのが「暗黙知」です。先ほども言いましたが、人間は、知っていることですら、言葉に置き換えることはできないし、意識の表面にも上がってこないのです。

マイケル・ポランニー。物理化学者、社会科学者、科学哲学者

中野　この「暗黙知」によって、プラトンのパラドクスは解けます。つまり、「問題を設定できる

のは、答えがどこかにあるのを知っていることだ」というのは、明示的には答えは言えないが、暗黙には知っているという状態です。そして、「問題を解く」「答えを見つける」とは「暗黙に知っていた答えを、明示化することができた」ということなのです。もともと、答えの半分は知っていたという状態が、問題の設定。残りの半分を明示化して見つけるのが、答えを出すこと。これだったら、プラトンの『メノン』で出てきたパラドクスが解ける、と。

適菜　なにかを予知するということは、後から考えれば、すでに答えを知っていたということになるわけですね。暗黙の部分で地下水脈のようにつながっていた。

中野　事実、そういうことは科学の歴史上もある。例えば、コペルニクス(一四七三－一五四三)主義者たちは、地動説が明示的に証明されていないのに正しいと信じ続けていて、アイザック・ニュートン(一六四二－一七二七)が証明するまでの一四〇年間、地動説を信じ続けていた。コペルニクス主義者は暗黙知として地動説の正しさを知っており、それを明示的に証明したのがニュートンだということなんでしょう。

この話は、プラトンやポランニーだけではなくて、いろいろ読んでいると出てきますね。例えば、『保守とは何だろうか』(NHK新書)という本で紹介しましたが、一九世紀初頭の文人で保守主義者のサミュエル・テイラー・コールリッジ(一七七二－一八三四)も同じようなことを言っていました。コールリッジが言うには、問題を解決したときというのは、忘れていた名前を思いだそうと努力をした後に似た感覚を伴う、と。問題を解こうとするときは、「なんだったっけ？　ほら、あれ、あれ」というような感じになる。そして、実際、問題を解くことに成功すると、答えを忘れていただけで本当は最初から分かっていたような、忘れていたことを思い出したような感じになるというのです。この話は、実に面白い。

適菜　無意識に答えを予知していたから「やっぱりそうだったな」という感覚になる。私もその『メノン』とニュートンのくだりには感動したので、昔、傍線を引いて読みました。大事なところなので、少し長い文章ですが引用しておきます。

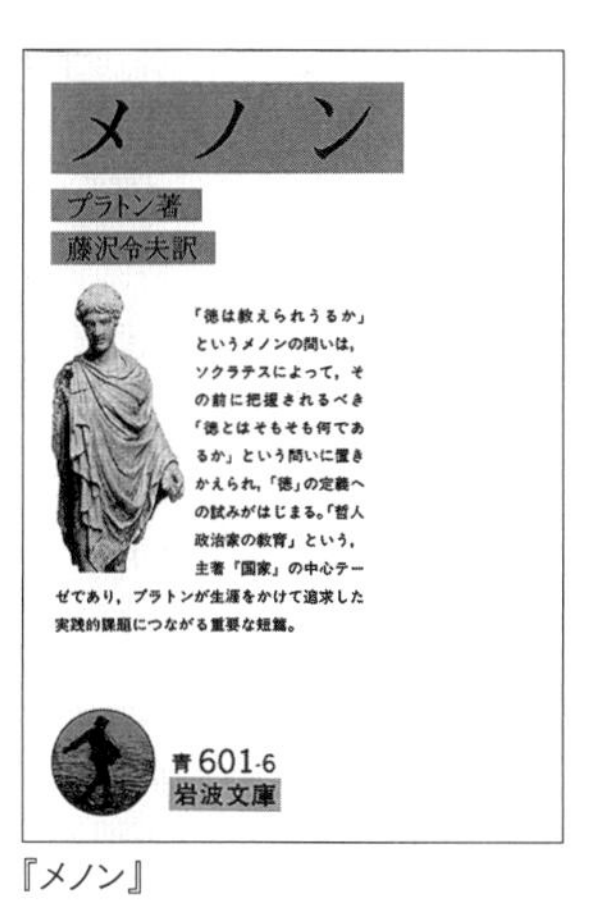

『メノン』

《どうやら、ある発言が真実だと認識するということは、言葉として口にできる以上のことを認識することらしい。しかもその認識による発見が問題を解決したなら、その発見それ自体もまた範囲の定かならぬ予知を伴っていたことになるのだろう。（中略）こうした知られざることがらについては明示的な認識など存在しないので、科学的真理を明示的に正当化することは不可能だと言うこともできよう。しかし、私たちは問題を認識することはできるし、その問題がそれ自身の背後に潜んでいる何かを指し示しているのを確実に感じ取ることもできる。したがって、科学的発見に潜む含意(インプリケイション)を感知することもできるし、その含意の正しさが証明されると確信も持てるのである。どうしてそんな確信が持てるのかと言えば、その発見についてじっくり検討を重ねているとき、私たちは問題それ自体だけを見ているのではないからだ。そのとき私たちは、それに加えてもっと重要なもの、問題が徴候として示しているある実在(リアリティ)への手掛かりとして、問題を見つめているのだ。そもそも発見が追求され始めるのも、こうした観点からなのである。すなわち、私たちは初めからずっと、手掛かりが指示している「隠れた実在」が存在するのを感知して、その感覚に導かれているのだ》(同前)

このようにポランニーは述べた後で、暗黙知のメカニズムの論点をまとめます。

(1)問題を妥当に認識する。

(2)その解決へと迫りつつあることを感知する自らの感覚に依拠して、科学者が問題を追求する。

(3)最後に到達される発見について、いまだ定かならぬ暗示=含意を妥当に予期する。

この種の認識方法によって、問題や虫の知らせといった、途方もなく曖昧なものが認識可能になり、『メノン』のパラドクスは解決されることになると。

中野　これは、小林秀雄が「理論は行為の中にある」と言っていたのと同じ話です。まず、行為によって、つまり現実世界に深くかかわることを通じて、暗黙知を体得しておく。その暗黙知の中に明示的な理論が隠れている。そして、あとでその暗黙知の一部が理論として表に出てくる。これは、特に保守主義に顕著な認識論ですね。

適菜　だから保守思想家は明示的に示せないことを重視したのですね。ポランニーはこう言います。

《世に謳われた近代科学の目的は、私的なものを完全に排し、客観的な認識を得ることである。（中略）しかし、もしも暗黙的思考が知（ナリッジ）全体の中でも不可欠の構成要素であるとするなら、個人的な知識要素をすべて駆除しようという近代科学の理想は、結局のところ、すべての知識の破壊を目指すことになるだろう》（同前）

中野　「なぜ人を説得できないか？」についても同じです。つまり、暗黙に答えを知っているけれどうまく言えなくて「分からない」と言っている人に対して、「あなたが考えているのは、本当は、こうじゃないか」と導くようにして、相手が暗黙知として知っていることを明示的な答えにしてあげる。いわゆる「気づきの機会を与える」ってやつですね。そうすると、もし初めから暗黙に同じ答えに到達している相手だったら、「そうか」と分かってくれるわけです。しかも、説得されたほうも、まったく知らなかったことを知ったというよりは、「最初から俺もそう思ってたんだ」って気になるんですよ。これが説得するということです。

「知っている」とはどういうことか？

中野　小林が孔子や仁斎について論じるときに出てきますが、孔子の教育方法がまさにこれだったようですね。相手の思考を言わばツンツンつついて、もともと分かっているものを出してあげる。答えが「分かる」と言いますよね。これは暗黙知の中から言葉で明示的に示せる答えを「分ける」ということなのかもしれません。ここは「説得の難しさ」という問題につながってくる。自分の力で暗黙知を体得していない人間に、いくら説明しても理解のしようがない。答えが埋まっている暗黙知をもっていない人からは、答えを引き出しようもないからです。

適菜　師が弟子を見て「こいつは見込みがない」と判断するときは、そういうところを見ているのかもしれませんね。一方、見込みのある弟子は、「ひらめき」に依存するのではなくて、答えにたどり着く「手掛かり」を体の中に地道に探す。ゼロから何かが生まれるわけでもなければ、天から啓示が下りてくるわけでもない。

中野　ウイルス学者の宮沢孝幸氏の「目玉焼き理論」は、下りてきたそうですが（笑）。
適菜　二〇二〇年一一月二八日に宮沢はこうツイートしています。
《実は目玉焼きモデルは私のアイデアではなく、守護霊のアイデアです。うたた寝の時に教えてくれました。教えてくれた守護霊さんに感謝してます。まるで曼荼羅のような図が出てきたのです。うたた寝しながら、なるほどと納得してました。私の守護霊さんは私を叱咤激励してくれます。まだ頑張れるだろと》
社会不安に乗じて現在カルトが拡大しています。宮沢は陰謀論者の武田邦彦とつるんでデタラメな発言を繰り返していました。次は大川隆法（一九五六－）と対談ですかね。予知という話に戻ると、初対面のときに「こいつやばいぞ」とうっすら思って、三年経ってから証明されたみたいな話って、よくあるじゃないですか。
中野　あります、あります。
適菜　それはやっぱり、自分の心の深い場所で「知っていた」のだと思います。潜在意識と暗黙知は別物ですが、いろいろな要因が重なり、それがはっきり意識の表面に浮かんでこなかった。

『暗黙知の次元』

中野　そうなんですよ。これは反省しなければなりませんが、「あいつ何か変だ。どうも偽物だ」って感じていた人間と付き合って失敗したことは、最近もありました。最初から「偽物だ」とうすうす分かってたんだけど、「何の根拠もなく、直観とかで人を判断するのは良くない」と自分に言い聞かせてしまいました。「自分の偏見かもしれない」とか、あるいは「そういう食わず嫌いは良くないから、ちゃんと付き合って分かり合おうよ」とか、子供の時、友達付き合いに関して、そういうことを親や学校の先生に説教されますよね。まあ、それもそうかもしれないというわけで、「初印象が悪いからって付き合わないのは良くないな」「いいところもあるのだから、いいところだけ見て付き合えばいい」なんてお利口さんに思って付き合ってみるのですが、それが成功した試しがないんですよ。

適菜　ははは。そういう経験は私にもすごくあります。でも、自分が偏屈なのか、相手がおかしいのか、見極めるのはなかなか難しい。その両方ということもありますが。

中野　そんな失敗の経験が重なると、自分も歳とってきたので、だんだん傲慢になってきちゃって、めんどくさいから、第一印象で決めつけるようになってきた(笑)。もちろん、そんなふうに傲慢になるのも良くないだろうし、最初の直観を間違えることもいくらでもあるので、気をつけないといけないんですがね。先ほどの「自己欺瞞」ではないけど、たまたま、自分が自分自身の不甲斐なさにイラ立って不満があったところ、自分より優れた人間やうまくやっている人間がいたので、嫉妬を覚えて「こいつは顔が嫌いだ」とか決めつけるとか、そういった罠もあるじゃないですか。人間、いくらでも自分を騙しようがありますから。そういうこともいろいろ考えた上で、「確かに第一印象で判断してはいけないな」と自分に言い聞かせて、内心では「こいつ、何か変だな」「はっきり言えないが、どうも偽物っぽいな」と思っている人間とも我慢して付き合ってみるのですけど、悲しいかな、そういう人間関係は、まず失敗しますね。

適菜　理屈より「直観」のほうが信用できるという話ですね。「直観」には言語という形で表面に出てこない切り落とされたものが多く含まれている。その点、子供は正直です。王様が裸だったら、「王様は裸だ」と言っちゃうわけですから。「裸だ」という言葉を与えるのは結構大事なことです。ここの部分だけ匿名にしておきますが、某国立大学の大学院教授について、新型コロナで完全におかしくなったとフェイスブックで指摘したんです。そうしたら、しばらくやりとりのなかった昔の知り合いが大勢出てきて、「私も同じことを感じていました。でも、有名な大学の先生なのだから、そんなにおかしなことを言うはずがないと思い込んでいました」と。ツンツンとつつけば、いろいろ出てくるわけです。ある人からは「適菜さんは、人は顔で判断すべきだと言っていたのに、なんであんな顔の人とつるんでいたんですか？」と言われてしまいました。

中野　これは、一本とられましたね。まさに顔で判断するからフェイスブックなんですか（笑）。偽物と付き合ってしまった自分を反省して言えば、「俺は、大衆と同じ行動を取っていたな」と思います。ここで言う「大衆」という意味は、セーレン・キルケゴール（一八一三－五五）が言った意味での「大衆」なんです。要するに、自分が内心つまらないと思っているものをほめてみせるような連中が「大衆」だということです。私は、内心つまらないと思っていたのに、それを隠して付き合っていました。だから、「大衆」だったんですよ。やっぱり、自分の直観をごまかして、うわべをとりつくろったような社交はいけないんだなと後悔しました。本当に失敗したなというか。でも、そんなことばかり言っていると、本当に孤立してしまうな。先ほどお話しした福沢諭吉の「私立」「瘠我慢」ということかもしれませんが。

「信ずることと知ること」

中野　話を戻すと、直観は、本当は、根拠のないものじゃないんですよ。世間では、明示的な知識や理論あるいはデータはちゃんとしたもので、直観はいい加減な思いつきで根拠がないものと思われている。でも、それは全然違う。直観には、暗黙知という明示的ではないけれどちゃんとした根拠があって、ただ、それが明示化されていないので「直観」という言葉になるだけなんです。小林秀雄はまさにこのことを重視していた。

小林の場合はベルグソンの影響だと思いますけれども、例えば、死んだおっかさんが蛍になって飛んでいるのを見たとか、そういう経験を信じることが大事だと書いています。科学が一蹴するような現象についても、まずいったんは信じる。小林の講演のタイトルの「信ずることと知ること」ですね。何かを知る前に、まず何かを信じていないといけない。つまり、自分では全部理解していないし、うまく言えないんだけど、なんか正しいと直観することが、信じるということです。

セーレン・キルケゴール。哲学者

うまく根拠を言えないのに、なぜ信じられるのか？オカルトを信じているような異常者は別として、まともな人間が「信じる」というときの感覚は、多分、暗黙知のことなんでしょうね。

適菜　まさにそのことをポランニーが言っています。

《伝統主義とは認識する前に、さらに言えば、認識できるようになるために、まずは信じなければならぬと説くものだ。するとどうやら伝統主義は、知識の本質や知識の伝達に対して科学的合理主義などよ

りも深い洞察を携えているらしい》（同前）

ポランニーがバークに言及しながら、節度ある自由、聖なるものに対する配慮を説いたのも、知が社会的権威と信任に基づいているからですね。だから、保守的であることや伝統を重んじることは、思想的哲学的にもっとも誠実な態度なのだとポランニーは言ったのです。左翼の発想はここが一八〇度転倒しています。理性や合理によって、すべて判断できると思っているわけですから。

中野 そうなんです。だから知識に到達する前に、「前・知識」として「信じること」がある。先ほど話題に出したコールリッジなんかは、科学の根底には宗教があるとまで言っている。まずは信じることから始める。とりあえず信じることで現実世界や経験に深くコミットする。そうすることで、暗黙の裡に知識を体得する。「acquire」という言葉をポランニーは使っていたと思いますけれど、まさに「体得」ですね。私の理解では、暗黙知を頭ではなく体に取り込んで貯め込んでいくようなイメージです。体得したあとで、その中から頭で処理して明示的な知識や理論を出していく。これが「分かる」ということなのでしょう。

ただし、人間は、暗黙知の一部しか理論知として汲み出せない。言葉が表現できるものには限界があるから、明示的な知識や理論として表せるのは、暗黙知のごく一部に限られるのです。一方で、体のほうは、どんどん先に動いて暗黙知を取り込み、積んでいく。だから、人間は行為をし、行動をしないと、現実に密着した暗黙知を体得できず、したがって理論のほうも出てこない。逆に言うと、現実世界の中で行動や実践をしないで理論だけをいじくり回していると、現実から離れていく。なぜならば、現実と理論とをつないでいるのは、体で体得した暗黙知だからです。

適菜　泳げない人が水泳の理論を書くようなものですね。それでも言葉は恐ろしいもので、実際には泳げない人が水泳の理論を書けてしまうのですが。小林は、《人類という完成された種は、その生物学的な構造の上で、言ってみれば、肝臓という器官をどう仕様もなく持っているように、宗教という器官を持っている》（『直観を磨くもの』）と言いました。

サミュエル・テイラー・コールリッジ。ロマン派詩人、哲学者

これは今、中野さんがおっしゃった話と同じです。合理的に考えれば非合理の部分があることに気づくし、超越的な場は人間にとって存在せざるを得ないことが分かる。先ほども言いましたが、理論では説明できないことは山ほどあります。どんなに大勢の人がいても、顔を見れば、知り合い

なのか、自分の親なのかとかは簡単に区別がつく。でも、どこを見て区別しているのか分からない。言葉にはできないわけです。豆柴だって、顔はぜんぜん違う。先ほどのバークの話もそうですが、明示的なものだけを絶対視すると間違うということです。まずは信じなければいけない。そこには理由はない。それが人間という存在なんだということですね。

「暗黙知」とは体得するもの

中野　関連して言うと、ポランニーの科学哲学は、教育とも関係する。例えば、大学があったり、学会があったりしますね。それも国際的にあるわけです。高等教育は昔から、まずは指導教授の下で実験の方法とか、探究の方法とか、議論の仕方とかを訓練する。要するに徒弟制みたいな形で体得していって、それで一丁前になったら、理論を生み出せるようになる。実験の方法とか問題の見つけ方とか論証の手順といったものの背後にも、暗黙知があるのです。その暗黙知を言葉ではなかなか伝えられないので、大学や学会といった科学者の共同体がある。その科学者の共同体の中に住んで、そこで指導教授や他の優れた研究者たちとの交流を通じて、科学の暗黙知を体得していくのです。もし、暗黙知というのがないんだったら、理論書だけ読んでいればいいわけです。

科学の世界でよく起きるのですが、交流していないはずの複数の研究者が、ほぼ同時期に同じ発見をすることがある。発明でもそうかもしれない。例えば、電話はアレクサンダー・グラハム・ベル（一八四七－一九二二）とトーマス・エジソン（一八四七－一九三一）とイライシャ・グレイ（一八三五－一九〇一）の三人がほぼ同時期に発明したそうですね。どうしてそういう不思議な現象が起きるかというと、実は、彼らは、科学者・技術者たちが交流を重ねる共同体の中にいて、暗黙知の共有をしていたからだとしか考えられない。

適菜　問題が共有された時点で、複数の目が見える人間には正確な答えを予知することができたということなのでしょうね。言葉の背後で。

トーマス・エジソン。発明家、起業家

中野　暗黙知は、はっきり理解できないものだから、知るというよりは、理解しないままとりあえず体得する必要がある。つまり、指導教授の教え方とか指導教授の言っていることを、いったんは「信じる」必要があるわけです。もちろん後になって批判的になってもまったく構わないんだけども、学生が未熟である以上、まずは指導教授を信じなかったら指導を受けることになりませんから。まずは信じることから始めないと、暗黙知は伝わらない。だから知る前に信じる必要があるというわけです。「知る」ことの前に、必ず「信じる」ということがどうしても先行するんですよ。

適菜　内田樹（一九五〇－）が言っていたのですが、師弟関係があるとしたら師なんて誰でもいいと。「弟子が師を信じる」こと自体に師弟関係の意味があるのであり、師から何を学ぶかには二次的な重要性しかない。伝達するものが「情報」にすぎないのなら、それを学んでしまえば、師は用済みになる。しかし、これでは知的なブレイクスルーは発生しない。理不尽に見える修業の意味は、明示的ではないものを含め全世界に対し、オープンマインドであれということだと。

中野　ただ、残念ながら、信じてはいけない教授、指導を受けてはいけない教授もいることが、このコロナ禍で明らかになってしまいました。あの教授は、あれだけデタラメな言論を展開しているのだから、研究室の学生にもデタラメを教えているに決まっている。

適菜　また、そこに戻りますか。

中野　どうしてもそこに戻ってしまう（笑）。

「馴染む」という知のあり方

適菜　ここまで話してきたことは「素読の効果」というテーマとも関連します。「論語の意味とはなにか」と小林は問いかけます。

《素読教育を復活させることは出来ない。そんなことはわかりきったことだが、それが実際、どのような意味と実効とを持っていたかを考えてみるべきだと思うのです。それを昔は、暗記強制教育だったと、簡単に考えるのは、悪い合理主義ですね》（『人間の建設』）

《丸暗記させる教育だけが、はっきりした教育です。そんなことを言うと、逆説を弄すると取るかも知れないが、私はここに今の教育法がいちばん忘れている真実があると思っているのです。「論語」はまずなにを措いても、「万葉」の歌と同じように意味を孕んだ「すがた」なのです。古典はみんな動かせない「すがた」です。その「すがた」に親しませるという大事なことを素読教育が果したと考えればよい。「すがた」には親しませるということが出来るだけで、「すがた」を理解させることは出来ない。とすれば、「すがた」教育の方法は、素読的方法以外には理論上ないはずなのです。実際問題としてこの方法が困難となったとしても、原理的にはこの方法の線からはずれることは出来ないはずなんです》（同前）

「姿」に「馴染む」という形になる知のあり方があるということです。まずは体に叩き込む。その意味は事後的に分かるようになる。

中野　同じことを、小林が本居宣長の言葉を引用しているので言えば、「姿は似せ難く、意は似せ易し」ということですね。これは「姿」というのを暗黙知と考え、「意」を明示化された理論と考えると分かりやすい。理論は伝達しやすいけれども、暗黙知というのは、例えば優れた指導教授のもっている体験ですよね。学問を真剣にやってきた人間だけがもっている体験、こういったものは経験の浅い学生では簡単にはまねできないんですよ。指導教授が言っている理論の意味をもっともらしく言うことはできる。でも、そこには、指導教授がその理論を導き出した深い経験は含まれていないから、理論を言うだけでは、本物の科学者になっていない。学生は、指導教授に従って、議論の進め方や実験の仕方、科学者としての立ち居振る舞いを体得していく中で、科学の暗黙知を体得し、一人前の科学者になっていく。その科学者としての立ち居振る舞いが「姿」ですね。指導教授の「姿」をまねしないと科学者として一人前にはなれないのですが、それは理論を口まねするのとは違って、簡単にはできないというわけです。

本居宣長。江戸時代の国学者、文献学者、医師

適菜　小林はフォームや形、息づかいを重視しました。言葉ではないもので知が伝達されているのなら、現代人の「さかしら」な解釈ではなくて、対象の「形」「姿」が見えてくるまで見るということです。小林はこう言っています。

《宣長は言葉の性質について深く考えを廻らした学者だったから、言葉の問題につき、無反省に尤もらしい説をなす者に腹を立てた。そんなことを豪そうに言うのなら、本当の事を言ってやろう、言葉こそ第一なのだ、意は二の次である、と》（「言葉」）

　ここでいう「言葉」とは「形」「姿」のことです。宣長はまずは「字」を眺めたのです。山鹿素行（一六二二－八五）は《耳を信じて目を信ぜず、近きを棄てて遠きを取り候事、是非に及ばず、誠に学者の通病に候》と言いましたが、小林はこれを古典の訓詁注釈を信じるな、古典という歴史事実に注目せよという意味だと言います。耳を信じるとは努力をしないでも聞こえてくる知識のことであり、目を信じるとは、眼前に見える事物を信じるのではなく、「心の眼をもて」ということだと。「眼光紙背」という言葉があります。背後にあるものを見抜くという意味です。表面的な「意」だけを重視し、「姿」を軽視する世の中を小林は批判したのです。

第五章

コロナ禍は「歴史を学ぶ」チャンスである

小林が語った秀吉の「朝鮮出兵」

中野　日中戦争が始まったばかりの頃、小林秀雄は戦争協力するための講演の中で、豊臣秀吉（一五三六－九八）の朝鮮出兵の話をします。大陸侵攻を日本がやっている最中に、戦意高揚のための講演だというのに、その場で小林は縁起でもないことに、秀吉の朝鮮出兵の失敗の話をするのですよ。まったく、いい度胸してますよ。小林が言いたかったのは、こういうことです。どうも自分も大陸に渡ってみたら非常に広大な平野が広がっていて、こんな世界は見たことがない。日本とはまるで違う。恐らく秀吉の朝鮮出兵のときにも、当時の日本軍はまったく見たこともない世界、まったく見たことのない戦い方をする相手とぶつかった。秀吉が朝鮮出兵に失敗した理由は、耄碌していたからではない。むしろ秀吉は日本で天下統一を成就するほどに、外交でも軍事でも秀でていた。その能力は、桁外れであった。だからこそ、失敗したのです。それは、日本国内での天下統一の過程では通用していた自分の理論がまったく状況の違う、環境の違う世界では全然当てはまらなかったからです。俗に言う「成功体験に引きずられて失敗する」ってやつです。成功した人間だからこそ、未知の事態ではむしろ失敗するというパラドクスを小林は語ったのですね。

適菜　はい。

中野　未知の事態とは、そういう恐ろしいものです。「俺だったら、もっと利口にやったのに」などという話は通用しない。利口な人間だからこそ失敗するのです。知性の限界。不確実性の恐ろしさ。未知の事態の恐ろしさ。それに直面したときに、人間は、どう生きるか。これは福沢諭吉の話も同じで、これまでとは全然違う西洋文明に触れ、近代世界というまったく新しい事態に直面して、どう処したかという話です。小林は、そういう未知の事態に放り込まれて格闘する人間のことばかり取り上げています。

日中戦争（1937年頃）

秀吉についても、そのことを言ったわけです。日中戦争の最中にこんな話をしているということは、日中戦争で負けるとはもちろん断言はしていないけれども、この戦争は相当困難なもので下手をすると失敗するぞというのは、やっぱり暗示しているわけです。この戦争に際しては、「東亜共同体を建設するんだ」とか、そういう言説がいろいろ出ていました。これに対して、「この新しい事態を、そういうありきたりの理論や知識で考えようとする知識人はダメだ」と言っていた。

適菜　小林がすごいのは、秀吉の失敗の理由を「安心したかった」と喝破したところです。新しい事態が発生すると、誰もが不安になる。そして早く安心したくなる。そうすると、自分の蓄積した知識や過去の成功体験を探してきて、手っ取り早く解釈しようとする。こうした人間の弱さを小林は秀吉の判断に見出したわけですね。

中野　新型コロナを見て、インフルエンザみたいなものだと高を括っていた人たちも、早く安心したかったんですね。

適菜　小林の歴史を見る目は鋭い。

《こうあって欲しいという未来を理解する事も易しいし、歴史家が整理してくれた過去を理解する事も易しいが、現在というものを理解する事は、誰にもいつの時代にも大変難しいのである。歴史が、どんなに秩序整然たる時代のあった事を語ってくれようとも、そのままを信じて、これを現代と比べるのはよくない事だ。その時代の人々は又その時代の難かしい現在を持っていたのである。少くとも歴史に残っている様な明敏な人々は、それぞれ、その時代の理解し難い現代性を見ていたのである》（「現代女性」）

後世の価値観による後知恵により「歴史」を裁断しても意味はありません。小林は、封建時代というものを設定し、その時代の思想や道徳に、「封建」という言葉を冠せ、「封建道徳」「封建思想」と呼んだところで、その時代の道徳や思想は分かるものではないと言います。どの時代にも矛盾や混乱があったのであり、その中で苦しみ、生活をしていた人々を理解しようとしなければ歴史は分からない。歴史は「生きているもの」「動いているもの」であり、自然科学のような実証主義が、歴史の命を殺してしまった。しかし歴史とは諸事実を発見したり、証明したりといった退屈なものではない。歴史を考えるとは歴史と親身に交わることなのだと。

《「調べる」という言葉は、これとは反対の意味合いの言葉で、対象を遠ざかって見るという言葉だ。今日の歴史家は歴史と交わるという困難を避けて通っているのだよ。歴史という対象は客観化する事は出来ない。宣長は歴史研究の方法を、昔を今になぞらえ、今を昔になぞらえ知る、そのような認識、あるいは知識であると言っている。厳密な理解の道ではない、慎重な模倣の道だと言うのだな。この方法

豊臣秀吉。天下人、武家関白、太閤

は歴史学というものがある限り変わらない。変わり得ないと私は思っているよ》（「交友対談」）

中野　小林は、数学者の岡潔（一九〇一－七八）との対談で言っていますが、批評をうまくやる極意は、批評する相手になりきることだというのです。小林が「秀吉は早く安心したかったんだろう」と見抜けたのは、秀吉になり切って想像したんですね。当時の状況、秀吉の置かれた立場に、自分の身を置いて考えてみた。それがうまかった。想像力が豊かだった。

歴史の読み方として小林がしきりに言うのは、「歴史とは上手に思い出すことだ」ということです。そういう意味では、秀吉に上手になりきったんですね。「俺が秀吉だったら、こういう事態に置かれたら、さっさと自分の既存の知識で安心したがるだろう。なぜなら人間には日常的にそういうことがよくあるし」と、多分そういう想像を働かせた。この想像力で歴史を見るのが小林のうまさだし、それこそが、正しい歴史学の在り方だと思うんです。

歴史とは鏡である

適菜　小林は歴史を読むとは、鏡を見ることだとも言います。「歴史とは鏡である」という発想は、鏡の発明とともに古い。『大鏡』も『増鏡』も歴史の話です。小林は歴史とは鏡に映る自分自身の顔を見ることだと言います。歴史に自分の顔が映るとはだれもはっきり意識していないが、だれもがそれを感じている。歴史に他人事とは思えぬ親しみを、面白さを感じ、その他人事をわが身のことと思うことが歴史を読むことであると。

中野　歴史を客観的な状況だけで説明しようとする、当時流行っていたマルクス主義の唯物史観に対して、小林は一貫して異を唱えた。それは、唯物史観が、上手に思い出す、秀吉になりきるといった想像力のことを軽視していたからでしょう。もっとも、小林的な歴史学の方法だと、歴史上の人物にうまくなりきれる人と、なりきれない人がいるので、小林以外の人ではうまく思い出せない。歴史家の主観に依存するような側面がどうしても残っちゃう。しかし、読み手の主観によって理解が変わってくるようなものは、科学じゃない。だから歴史を客観的な科学にしたければ、そういう主観に頼るものであってはいけないんだという発想が、多分、唯物史観の考え方にあったんでしょう。それに対して小林は、非常な違和感を表明しています。歴史学の方法としては、小林のほうが正しいです。

適菜　だから左翼の歴史観や世界観は非常に薄っぺらなものになる。事実を並べれば歴史になるという発想は小学生レベルのものです。歴史は歴史家が作り出すものです。E・H・カー(一八九二－一九八二)が言っていますが、ガイウス・ユリウス・カエサル(前一〇〇頃－前四四）がルビコン河を渡ったのは歴史的事実だが、それ以前にも、それ以後にも、ルビコン河を渡った人間は星の数ほどいると。しかし、彼らについての資料は存在しないし、誰も関心をもたない。つまり、歴史家の選択や解釈から独立した客観的で科学的な歴史認識などあり得ないと。だから、歴史研究は歴史家研究をやらなければならないという話です。

小林はこう言っています。

《ヘーゲルの史観は、ブルジョワ階級の文明の進歩の考えに、よく適合していたし、この虚を突いて現れたマルクスの史観も、歴史の必然の発展による新しい階級の交代を信じていた。要するに、十九世紀の合理主義の歴史観は、社会の進歩発展という考えに固く結びつき、過去の否定による将来の設計に向って、人々をかり立てた》(『近代絵画』)

こうした弁証法により過去は死んだと小林は言うわけですね。

《あらゆる歴史事実を、合理的な歴史の発展図式の諸項目としてしか考えられぬ、という様な考えが妄想でなくて一体何んでしょうか。例えば、歴史の弁証法的発展というめ笊で、歴史の大海をしゃくって、万人が等しく承認する厳然たる歴史事実というだぼ沙魚を得ます》(「歴史と文学」)

小林が言いたいことは、史観は歴史を考えるための手段であり道具にすぎないということです。

《唯物史観に限らず、近代の合理主義史観は、期せずしてこの簡明な真理を忘れて了う傾きを持っている。迂闊で忘れるのではない、言ってみれば実に巧みに忘れる術策を持っていると評したい。これは注意すべき事であります。史観は、いよいよ精緻なものになる、どんなに驚くべき歴史事件も限なく手入れの行きとどいた史観の網の目に捕えられて逃げる事は出来ない、逃げる心配はない。そういう事になると、史観さえあれば、本物の歴史は要らないと言った様な事になるのである》(同前)

学問は一代限りのもの

適菜　小林は批評の題材を使って自画像を描いたとよく言われます。モーツァルトが模倣の果てに何かを生み出したという話をするのは、自分に重ね合わせているわけですね。パブロ・ピカソ(一八八一－一九七三)の目の見え方、兼好法師の目の見え方、モネの目の見え方に驚愕するということは、「それに驚愕する自分の目の見え方」に驚愕しているということです。小林はこう言っています。

《大切な事は、真理に頼って現実を限定する事ではない、在るがままの現実体験の純化である。見るところを、考える事によって抽象化するのではない、見る事が考える事と同じになるまで、視力を純化するのが問題なのである》(「私の人生観」)

先ほどお話ししたように、宣長の学問の方法もまったく同じですね。現代人の「さかしら」な解釈により古典を理解するのではなく、古典の「姿」「形」が見えてくるまで見たり、声が聞こえてくるまで聞くということです。小林は言います。

《歌は読んで意を知るものではない。歌は味うものである。似せ難い姿に吾れも似ようと、心のうちで努める事だ。ある情からある言葉が生れた、その働きに心のうちで従ってみようと努める事だ。これが宣長が好んで使った味うという言葉の意味だ》(「言葉」)

中野　そうすると、「理解」というものには、つらいところがある。先ほども言ったように、想像力が豊かな人じゃないと、歴史を理解できない。それと同じで、モーツァルトやピカソのことを小林が理解できたのは、小林が彼らと同じようなタイプだからですよね。自分が同じようなタイプだから、ピカソの絵やモーツァルトの音楽に共感し、追体験し、理解することができた。だとすると、ピカソやモーツァルトは、誰でも皆が理解できるようなものじゃないということになる。これは人を説得するのは不可能という話と同じです。

そういうわけですから、小林についても、本当に誤解が多いと思いますね。もちろん、「私は、小林を全部理解した」とか「私は小林と同じタイプの人間です」と言う気はありませんが。小林も、ピカソやモーツァルトを全部理解しているわけではないんでしょうけれども。これは、学問というものを考える上でも、実に恐ろしい話です。人のことは理解できないし、自分のことを他人に理解させることも一生できません、ということと同じで、理論や思想というものも、一代限りだ。従って、もし思想史というものがあるとしたら、それは飴のようにつながって伸びているものじゃなくて、数珠玉みたいになっているはずだと小林は言っています。つまり、思想は、思想家ごとに一つ一つ、あるものなんだと。

適菜　柳田國男（一八七五－一九六二）の学問も一代限りだと小林は言っています。柳田は一四歳のとき、茨城県の布川にある長兄の家に一人で預けられていた。隣りには旧家があり、そこにはたくさんの蔵書があった。柳田は身体が悪くて学校に行けなかったので、毎日そこで本ばかり読んでいた。その旧家の庭に石で作った小さな祠（ほこら）があった。そこには死んだおばあさんが祀られているという。柳田は祠の中が見たくなった。そして、ある日、思い切って石の扉を開けてしまう。

柳田國男。民俗学者、官僚

中野　すると中には蝋石（ろうせき）が入ってた。

適菜　そうです。柳田は実に美しい珠を見たと思った瞬間、奇妙な感じに襲われ、そこに座り込んでしまい、ふと空を見上げた。よく晴れた春の空で、真っ青な空に数十の星がきらめくのが見えた。昼間に星が見えるはずがないことは知っていた。けれども、その奇妙な昂奮はどうしてもとれない。そのとき、鵯が空を飛んでいて……。

中野　鵯がピイッと鳴いた。

適菜　それを聞いて柳田は我に返った。そして、もしも、鵯が鳴かなかったら、自分は発狂していただろうと柳田は言うわけです。小林はこうした柳田の感受性が、彼の学問のうちで大きな役割を果たしていたと言います。柳田の弟子たちは、彼の学問の実証的方法は受け継いだが、感受性まで引き継ぐわけにはいかなかった。だから、小林は「柳田の学問には、柳田の死によって共に死ななければならないものがあった」と感じたのです。

中野　そういった意味では、学問は、なんとか学派とか、なんとか主義とか言うけれども、本当の学問にはそんなものはあり得ない。マルクス主義はなくて、マルクス一代限りとか、皆一代限り。先ほど徒弟制の話をしたけれども、結局、学んだところで指導教授と同じものを継ぐのではなくて、違うものができる。弟子は、弟子のキャラクターと密接不可分な自分の理論を生み出す。そういう話も、小林が面白がっています。例えば、直接の弟子ではないにせよ影響を受けたという意味では、仁斎と徂徠。徂徠は仁斎と直接接してはいないけれど、師として仁斎に学んで、仁斎を越えた。仁斎の古学を学びながら、徂徠独特の学問である徂徠学を作っちゃった。しかし、蘐園学派、つまり徂徠の弟子たちの学派は、徂徠学ではなかった。
あるいは、賀茂真淵（一六九七－一七六九）と本居宣長。お互い批判し合いながらも、どこか認め合っているような師弟。真淵のことを宣長は心から尊敬していたけれども、宣長は宣長、真淵は真淵というところが残ってしまい、突き詰めると、どうしても折り合えないものがあって、それぞれ真淵学、宣長学になっていく。非常に美しい話です。

適菜　「意」を受け継ぐことはできても、体質は受け継ぐことはできない。しかし、身のこなし、立ち居振る舞いはまねすることができる。それが師弟関係ということですね。仁斎と徂徠、真淵と宣長の関係もそうだと思います。

学問や思想が腐りやすい理由

中野　小林が若い頃は必死になって批判したり論争したり、説得したりしたけれども、途中から人を説得することをやめたという話がありましたね。自分の体験や生来の気質みたいなものが学問や思想と密接不可分になっている以上は、それが言葉による説得によって伝わると考えること自体が、もはや傲慢と言っていい。

適菜　だから「小林に学ぶ」ということは、小林の姿勢や立ち居振る舞いをまねるということになりますね。

中野　姿を見た上で、それを徹底的にまねてみるが、出来たものは、小林とは違うものになる。小林を信じて、小林と違うものを作っちゃう。小林と同じような暗黙知をもっていない、経験をもっていない人間には、小林の言いたいことの想像はできない。だから、若い時分に小林を読んでも分からないのは、人生経験が不足しているからですね。でも、年を重ねて、いい経験を積んでから読むと、小林は難しくないことが分かるのですよ。

しかし、もともと、小林と同じような気質がなければ、小林の思想はまったく理解できない。仮に理解したとしても、小林の言っていることを再現する過程で自分の本来の気質が入ってくるので、出てくる小林秀雄像は、小林自身が考えていることとは完全には一致しない。小林を解釈した結果、言わば、小林と自分が重なったものが出てくるわけです。

適菜　凡百の「小林秀雄論」について、小林自身はこう言っています。

《わかったつもりで書いているんだろうが、おれのことをほんとにわかって書いた人は一人もいないね、けっきょくは創作だよ、その人の》（高見沢潤子『兄　小林秀雄との対話』）

本当の「小林秀雄」は小林秀雄にしか分からない。

中野　もし小林と語り合えたなら、「お前とは、そこは違う」と言って延々二人で論争することになるけれども、経験や気質が近ければ、そして一流の人間同士ならば、意見の一致はみなくても、お互い、相手には敬意を表することにはなる。これが学問の面白さ、楽しさで、これが面白いから、孔子や仁斎の周りにも、弟子が集まってきたのでしょう。「朋有り遠方より来たる、亦た楽しからずや」というわけです。そういう学問の交わりとは、なんとかクライテリオンとかいう雑誌のように、徒党を組むということとは違うんですよ。

適菜 ネット上で「失言者クライテリオン」という言葉を見かけました。

中野 世話になった故人のことをあまり悪くは言いたくないけれど、雑誌『表現者』を主宰した西部邁（一九三九－二〇一六）先生が間違えたのは、そこじゃないかと思う。結局、彼の気質は運動家だったので、徒党を組んで、思想運動をしようとしていたんです。しかし、小林秀雄は、思想はあくまで個人のもので、徒党の思想運動を嫌っていました。この年になってつくづく思うのですが、私は、小林のほうが正しいと思いますよ。

適菜 福田恆存も指摘していますが、保守はその性質上、徒党を組むようなものではないんですよね。

中野 そうです。『表現者クライテリオン』はその徒党の性格をもっと露骨な形で引き継いでいるように見えますね。西部邁先生の『表現者』も確かに思想運動ではありましたが、個別の問題に関する意見は違っても、それなりの言論人だったら登場させるようなところがありました。ところが、藤井聡氏の『表現者クライテリオン』には、個別の問題に関して意見が同じだったら、どんな低劣な言論人でも登場する。藤井氏は、消費税反対の徒党を組むため、あるいは緊急事態宣言反対の徒党を組むためだったら、誰とでも手を組み、利用しようとするのです。

適菜　溺れる者は瑠麗をも掴む。

中野　思想運動を「徒党」と言い、「朋有り遠方より来たる、亦た楽しからずや」を学問の「社交」と言うなら、徒党と社交は、まったくの別物です。徒党を組みたがる連中は、社交を知らないガキですね(笑)。この徒党の問題は、小林が繰り返し論じた「政治と文学」あるいは「思想」の区分の問題に深く関わってきます。

小林は「政治は虫が好かない」とは言いましたが、政治を否定したり、目を背けたりしていたわけではありませんでした。政治は集団にかかわるものであり、人間は集団行動をとらずには生活できないことを、小林は重々承知していた。だから、政治は、生活の管理技術に徹すべきだと小林は主張しました。

しかし、思想や文学は、これまでわれわれが論じてきたように、各個人、もっと厳密に言えば、個人とその周囲の環境、あるいは一言で言えば、その人の「生」といったものと密接不可分なものです。ですから、思想や文学は、個人に固有のものであって、集団のものではない。つまり、政治とは別の領域に属する営みなのです。
ところが、集団を動かそうとする思想がある。本来、個人のものであるべき思想が、集団という政治の領域に絡む。思想が政治化する、あるいは思想が政治に汚染されると言ってもいい。そういう集団を動員しようという政治化された思想が「イデオロギー」です。小林が忌み嫌ったのは、このイデオロギーでした。

適菜　ル・ボン(一八四一－一九三一)は《群集はいわば、智慧ではなく凡庸さを積みかさねるのだ》と言いました。これは愚かな人間が集まっても意味がないということではなくて、相当なインテリでもつるんでいるうちにバカになるということです。群集の中では個人を抑制する責任観念が消滅し、野蛮で凶悪な破壊本能が出現する。昔、ちょっと調べたのですが、アメリカのマサチューセッツ工科大学(MIT)、カリフォルニア大学バークレー校、カーネギーメロン大学の合同研究チームが脳のMRIスキャンにより「人は集団で行動すると道徳観が薄れ、倫理的思考ができなくなる」ことを裏付ける脳の働きを発見したそうです。

ギュスターヴ・ル・ボン。心理学者、社会学者、物理学者

中野　ですから、小林に言わせれば、思想運動などというものは、邪道ということになる。思想は個人のもの、運動は集団のものだからです。徒党を組んで思想運動をやろうとすると、思想は汚染されてイデオロギーに堕するのですよ。イデオロギーは、徒党・集団が形成できれば、つまり群れができれば成功ですが、群れていては、福沢諭吉が目指した「私立」など不可能です。

だとすると、思想運動をやろうという雑誌は、「思想」ではなく「イデオロギー」の雑誌だということになります。そもそも、「思想運動」などという言葉が形容矛盾なのですよ。運動する群れの中になんか、本当の人間の思想はないのですから。

適菜　本当にその通りです。運動やスローガンという発想は、科学的に正しい歴史があるという前提からしか導きだせない。保守を自称しておきながら「国民運動」を始めると言い出す集団もありましたが、頭が悪いにも程がある。

中野　先ほど紹介したわれわれと佐藤健志さんの鼎談で、藤井聡氏の新型コロナを巡る言説を批判したでしょう。すると、「同じ保守なんだから、そんなことで内輪もめせずに、仲よくすればいいのに」みたいな余計な世話を焼きたがる人が出てくるわけです。確かに、徒党なり運動なりが大事なんだったら、その通りでしょう。しかし、徒党や運動で群れることを優先するような「私立」ができない精神なら、思想だの文学だのは一切やめたほうがいいですね。

適菜　付け加えれば『表現者クライテリオン』が失敗した理由は、編集者と執筆者の区別をきっちりつけなかったからではないでしょうか。通常、雑誌に掲載される原稿には編集による選別、校正、校閲といった過程が入りますが、編集者と執筆者が一体化すれば、同人誌になってしまう。雑誌としてのバランスや、多様な意見を重視するのではなく、編集長の企画の方針に応じるような人ばかりに原稿を依頼していたら、どんどん偏ったものになっていく。公私混同ということです。

中野　西部先生がやっていたときも、執筆依頼には企画の方針が書いてあって、西部先生のいつもの持論がダーッと書いてはありました。でも、末尾には「こういう時代状況も参考にしつつ、ご自由に筆をふるってください」ぐらいのことしか書かれていなかったですね。

適菜　あのときは編集者がいて、編集長がいて、西部さんが顧問だったわけですよね。でも、今は編集長が最前線に出てきて、特集の執筆から対談、コラムまで、すべてをやっている。要するに、自分の主張を垂れ流す媒体にしてしまった。そういうことはメルマガでやればいいんです。

中野　ただ、西部先生の『表現者』の場合も、執筆依頼には確かに「ご自由にお書きください」とあったけれど、それを真に受けて、実際に西部先生の主張とまったく違うことを書くような大胆な執筆者は少なかったですね。西部先生の持論に忖度するような内容が多かったと思いますよ。そうやって忖度するもんだから、徒党がまとまるわけ。確かに、思想運動としては見事に成功している(笑)。

ところが、西部先生って困った人で、自分で思想運動をやっていながら、忖度された原稿には退屈していた感じでしたよ。確かに、執筆者の個性が消えた忖度原稿が面白いわけがない。でも、それは、思想運動なんかやってるのが悪いんですよ。徒党や運動の中では、思想はあり得ないという、小林秀雄が正しかったことを証明するような話です。

適菜　運動は必ず劣化します。指導者に忖度しているうちに周辺がイエスマンばかりになり、まともな人は離れていく。

中野　まともな人が離れて運動が瓦解するようでは、運動あるいは「政治」としては失敗でしょう。しかし、運動から離れることで、その人の「思想」は、逆に成功したと言えます。

そこで一つ、また、別の難しい論点が出てくるのです。というのも、徒党を組むと思想は確かにダメになるが、その一方で、先ほど述べたように、初めは師匠を信じて師弟関係を結ばないと、学問の暗黙知は獲得できないというところがある。

この徒党を組むことと、徒弟制に入ることとの違いのどこに一線を引くかは、意外と難しい。というのも、こちらが未熟な段階で小賢しく「先生、それ違いますよ」と言って、師弟関係を解消してしまったら、もうこちらの成長はないわけです。そうすると、初めは師匠を信じてみないといけない。だけれど、世の中には、思想運動や学派という猿山のボス猿になりたいという野心をもっている大学教授や知識人がいるわけですよ。よく学生や准教に対して威張ったり、いたぶったり、怒鳴り散らしたりする大学教授がいますが、そういう手合いですね。そういう学者のクズは、「思想」ではなく、学界や言論界の「政治」をやっているのです。

適菜　いますね。そういうやつ。

中野　そんな学者のクズを不運にも師匠として信じてしまった結果、その師匠に操られ、師匠に追従していくうちに、有望な学生の思想の芽が潰れてしまう。そういうことも多いのではないでしょうか。

あるいは、学者がお互い切磋琢磨し、学問を高めていくためには、学者の共同体に入る必要がある。学者同士の交流は極めて大事ですし、それこそ、「朋有り遠方より来たる、亦た楽しからずや」というわけで、楽しい。だから、孔子の周りにも人が集まった。その意味では、優れた学者を慕って、あるいはお互いを高め合うために学者が集まって「学派」

が出来ることは、悪いことではない。悪いどころか、良いことです。ところが、この「学派」というものも、よほどうまくやらないと、単なる徒党へと堕落する危ういものですね。というのも、教祖に依存して安心したいとか、徒党を組みたいという気質の人間もまた、少なからずいるからです。

学派内に、師匠に盲従したい人間や徒党を組みたがる人間が多くなった瞬間に、学派もろとも学問も堕落していく。実際、学派なるもののほとんどは堕落していて、徂徠と蘐園学派は違うとか、孔子の本当の教えと朱子学は違うとか、ヘーゲルとヘーゲル主義は違うとか、いくらでもそういう例はある。学問は腐りやすい。小林も書いていますよね。本当の思想は非常に腐りやすいというか、もろい。なぜ、もろいかというと、個人の生と密接不可分だからです。

適菜　小林はこう言います。

《私達は、歴史に悩んでいるよりも、寧ろ歴史工場の夥しい生産品に苦しめられているのではなかろうか。例えば、ヘーゲル工場で出来る部分品は、ヘーゲルという自動車を組み立てる事が出来るだけだ。而もこれを本当に走らせたのはヘーゲルという人間だけだ。そうはっきりした次第ならばよいが、この架空の車は、マルクスが乗れば、逆様でも走るのだ》(「蘇我馬子の墓」)

ヘーゲルはヘーゲルという生身の人間の体質の中にしかいないのです。

中野　だから、徒党を組んで学派として堕落するのを回避しつつも、暗黙知を体得するために共同体的な師弟関係を結ぶというのは、本当に難しい。本物の高等教育の場合は、学問や教育の微妙なルールが非常に発達していて、学派が徒党へと堕落するのを防いでいるように思います。優れた大学では、そういうルールが大学の伝統として確立されているものです。

例えば、「指導」と称して、学生に威張ったり、怒鳴り散らしたりするのは、完全なルール違反です。本物の大学は、そういうアカハラ(アカデミック・ハラスメント)野郎を絶対に許しません。学問を堕落させ、教育を不可能にする危険な存在だからです。

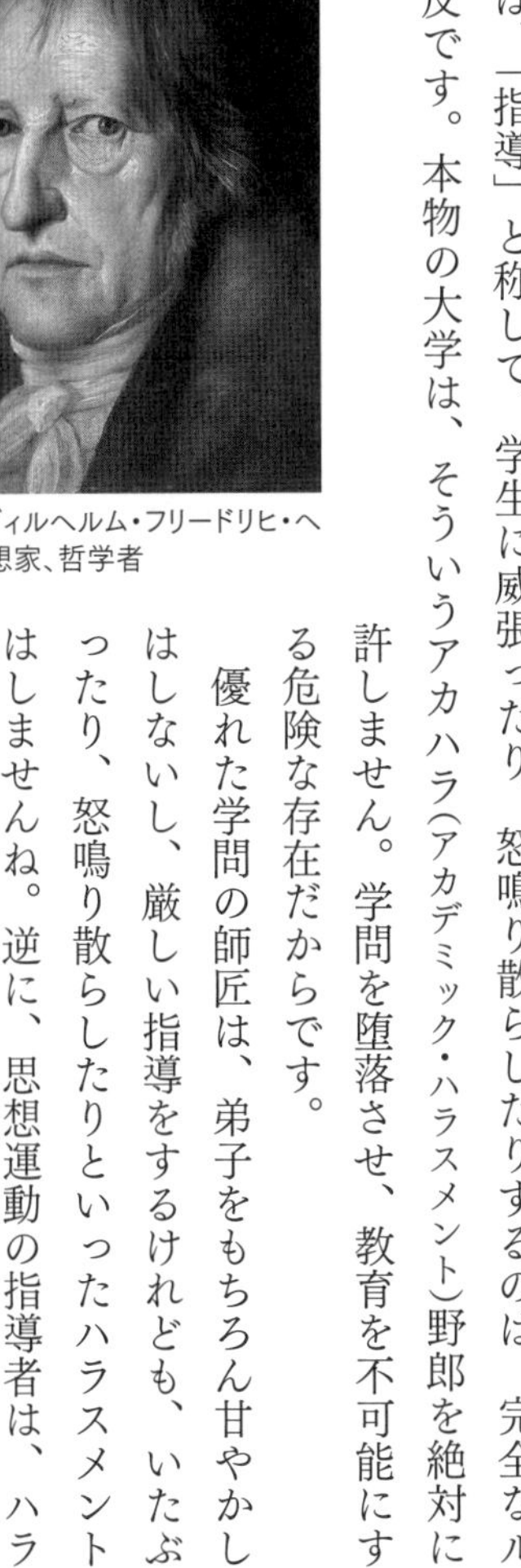
ゲオルク・ヴィルヘルム・フリードリヒ・ヘーゲル。思想家、哲学者

優れた学問の師匠は、弟子をもちろん甘やかしはしないし、厳しい指導をするけれども、いたぶったり、怒鳴り散らしたりといったハラスメントはしませんね。逆に、思想運動の指導者は、ハラスメントによって徒党をまとめあげる(笑)。

教育者としての資質

適菜 本物の教育者は予備校講師や小中学校の先生の中にもいると思います。私の経験で言っても、学校の教師とか皆バカに見えたけど、例外的に一人か二人は信頼できる先生がいるわけです。高校の三年間で二〇人くらいが何かの教科の担当になったとして、一人か二人は「この人信用できるな」「尊敬できるな」と思うことができる人がいる。

中野 いますね。二〇人のうち一人か二人という確率は、大学でも同じですけどね。

適菜 そういう人は何かを子供に気づかせる教育者としての資質をもっていたのかもしれない。児童や生徒や学生は、なんとなくそれを感知する。

中野 本当の教育というのは、非常に難しいものですね。先ほども言いましたが、小林が面白がっているように、孔子は「君、本当は最初から分かってたんじゃないのかね」と気づかせるように、つついてあげた。それが、本当の指導や教育というものなのでしょう。それでつついて出てきたものは、もちろん、孔子の思想と同じではなくて、その人固有のもので、その人の経験に根付いたもの。でも、それこそが、本当の思想である。そういうことなんでしょうね。だけど、そうすると教育や啓蒙は、いかに難しいかという議論になってくる。啓蒙の難しさについて、小林がこんなエピソードを書いていました。

ある日、尾崎行雄（一八五八－一九五四）が新聞記者になったので、福沢諭吉のところに挨拶に行った。すると福沢が「君は誰のために書くつもりなのかね？」と聞いてくるので、尾崎は「私は、天下の識者のために書くつもりです」と胸を張って答えた。そうしたら、福沢は鼻くそをほじりながら「ほう、そうかね。俺はいつも猿に読んでもらうつもりで書いているよ」なんて言ったので、尾崎は「なんて、けしからんやつだ」と怒って帰っちゃった。福沢が、「上から目線」で人を見下しているとでも思ったんでしょうね。普通は、そう受け取る。でも、小林はそうは取らず、「恐らく彼の胸底には、啓蒙の困難についての、人に言い難い苦しさが、畳み込まれていただろう。そう思えば面白い話である」と書いて、いたく感銘をうけているわけですよ。

適菜　いい話ですね。その話で思い出したのですが、ヘーゲルがヨハン・ヴォルフガング・フォン・ゲーテ（一七四九－一八三二）に会いに行ったんです。ゲーテは当時のヨーロッパでも有名人です。それで若いヘーゲルは意気揚々と出かけて行って、ゲ

ヨハン・ヴォルフガング・フォン・ゲーテ。
詩人、自然科学者、政治家、法律家

ーテの前で自分が編み出した弁証法の自慢をするんですね。するとゲーテは、福沢が鼻くそほじくったぐらいの勢いで「そうした精神の技術や有能性がみだりに悪用されて、偽を真とし、真を偽とするために往々にして利用されたりしなければいいのだがね」といなすんです。ヘーゲルはムキになって「それは精神の病める人たちだけがやることです」と言うと、ゲーテは「それなら自然研究のほうがよっぽどましだな。そんな病気にかかりっこないからです」「私は、多くの弁証法患者は、自然を研究すれば効果的に治療できるだろうと確信していますよ」と切り捨てた。ゲーテにとってヘーゲルは反論の対象ではなくて治療の対象だった。これは私が大好きな話です。

中野　古今東西変わらないものですね。

第六章

人間の陥りやすい罠

「筆を折る」と宣言した大学院教授

中野　小林秀雄が未知の事態の対応に失敗した例として秀吉を挙げた話をしましたが、同じ講演で成功例として織田信長(一五三四－八二)の桶狭間の戦いを挙げているんです。

今川義元(一五一九－六〇)の大軍が押し寄せて来たとき、織田家の家臣団は清洲籠城を信長に進言した。こういうときは、籠城がスタンダードな理論だったからでしょう。でも信長は、圧倒的な不利をひっくり返さなければいけないという「未知の事態」に対して、既存の理論、つまり清洲籠城ではダメだと判断した。それで、突如打って出て、桶狭間で今川義元を討ち取ることができたというのです。

これが語られたのは「事変の新しさ」という講演ですが、小林は、信長は決して賭けに出たのではないとはっきり言っている。そうではなくて、信長は、現状を把握し、現実を直視した上で、そこから新たな理論を生み出すことで、未知の事態に対応したと言っているのです。

しかし、丸山眞男は、この講演を引きつつ、いきなり論理を飛ばして、「小林は、理論一切を否定して、絶体絶命の決断を原理化する決断主義に走ったんだ」と小林をカール・

シュミット（一八八八－一九八五）的な決断主義者だと決めつけた。丸山のような近代主義者は、理論以外の判断を全部決断主義にしてしまう。小林の話が通じないのですよ。

適菜　ああ、なるほど。いろいろ分かってきましたね。伝わらないやつには伝わらない。知識や能力がある人でも、人間の根幹のところで、共有できるものがなければ、伝わらない。

中野　まさに、そういうことです。直観というものは、その人のいる状況、その人のキャラクター、過去の経験その他もろもろと密接に関係があって、決して明示化できない。信長の例で言えば「清洲籠城は嫌だ。打って出るぞ」と言ったときに、家臣団は信長の真意を誰も理解できなかった。それは、信長が独断専行だからでは必ずしもなくて、仮に信長がどんなに言葉を尽くしても誰も彼の直観を理解できなかっただろうということです。

適菜　テレビと同じで、レセプターがないと受信できない。「理性的に判断しましょう」と言い続けている人には、理性だけで判断することの危険性を指摘する中野さんのことは理解できないんでしょうね。あいつは「真善美に反している」と見えるのでしょう。

中野　そうでしょうね。二〇二〇年の春にわれわれは「新型コロナはどうも相当やばそうだ」と直観したけれど、われわれは疫学者ではないから、思ったよりやばいと思った理由を完璧には説明できないんですよ。だけれども、尾身茂先生や西浦博先生の訴えを聞いたり、海外の状況を総合的に判断したりして「これは、大変なことになりそうだから、気をつけたほうがいい」と感じたわけです。

私も大衆迎合は嫌いだし、皆が同じような台詞ばかり言っているときは、それと違うことを言いたくなることはよくありますよ。でも、今回の新型コロナは違う。これは、少なくとも自分は経験したことがないし、こいつはまずいという直観が働いたのです。その段階では、人には明瞭には説明できませんよ。だから説得は難しいわけですし、それについては、多分、感染症のプロたちだって難しかったと思います。というか、感染症のプロたちも、初めの頃は、「これは、新しい未知の事態だ。気をつけろ」という直観で動いていたという面はあるのでしょう。

適菜　そうですね。だから常識がある人は政府の方針でおかしなところがあればそこは批判していましたが、感染症そのものについては黙っていました。素人が専門分野に口出しできるわけがないですからね。そして、専門家も新しい事態に直面して、説明するための言葉を必死に探していたわけです。

中野　その通りです。先ほども言いましたが、こうした中、藤井聡氏は「もし僕が間違っていたら人前には出ません。筆を折ります」と言ったわけですよ。それで筆を折るのが嫌なもんだから、今は事実や論理をバキバキ折っているところです(笑)。

二〇二〇年の三月頃、私は、自分の周囲で、新型コロナを軽視する知り合いに、「これは気をつけたほうがいい」となんとか説得しようとしたことがありますが、失敗しました。説得どころか、小バカにされた。でも、確かに、当時はまだ直観の段階でしたから、そんな私の直観を人と共有するのは無理だったんです。とりわけ、既存の理論にしがみついている人、間違った直観にとりつかれた人を説得するのは不可能ですね。それは、私の言葉足らずという問題もあったでしょうけれども。

でも、感染症や公衆衛生の専門家が「これはヤバいから、気をつけろ！」と言っているんだから、素人が「まずは専門家の言うことに従っておこう」と思うのは、直観以前の常識的な話でしょう。それを、素人が突然「専門家」を名乗って、いきなり本物の専門家を名指しで批判しはじめ、挙句の果てに「僕が間違っていたら筆を折る」って、これ、どう理解したらいいんですかね。

適菜　絶望するしかないですね。福田恆存も西部邁も最後に「言論はむなしい」と言いましたが。

ＭＭＴ（現代貨幣理論）と藤井聡

中野　新型コロナって恐ろしいもので、新型コロナを軽視する「知識人」を嘲笑うかのように、次々と変異していますね。若者でも重症化するようになったり、感染力が強くなったり。新型コロナは、その発生が未知の事態というだけでなく、自分でさらなる未知の事態を次々と作り出しています。感染症や公衆衛生の専門家も、変異や状況の変化に合わせて、臨機応変に対応していかなくてはならない。「間違っていたら筆を折る」なんて言っていたら、筆が何本あっても足りない。これこそ、まさに、本当の危機というものです。だから、本物の感染症のプロで、「間違っていたら筆を折る」なんて大見得を切った人は一人もいなかったわけです。もっとも、ワクチンの開発が奇跡的に早く成功したので、光明が見えてきましたが、もしワクチン開発が遅れていたら、もっと深刻な危機になっていたのでしょうね。

ところが藤井氏は二〇二〇年一二月、「WeRise」[注12]という団体のイベントに参加し、講演で「コロナがあったら、飲んでもいい」[注13]などと発言しています。コロナって、ビールのコロナじゃないですよ。挙句の果てには、ギターをかき鳴らし、飛沫飛ばして「Oh,

Yeah, Oh, Yeah」などと叫んでいるのです。ツイッターで流れて来たその動画を見たときは、言葉を失いました。

これは、さすがに限度を超えているでしょう。藤井氏が「Oh, Yeah, Oh, Yeah」と歌っていた頃、すでに大阪の医療機関は逼迫していました。そして、その後、大阪は、医療崩壊状態になったんですよ！　藤井氏とつるんでいる連中は、この「Oh, Yeah, Oh, Yeah」の動画を見ても平気なんですか？

適菜　「WeRise」は武田邦彦や内海聡といった陰謀論者が集まっているトンデモ集団でしょう。ウェブサイトでは《新型コロナウイルス感染症はメディアが作り出した怪物》などと謳っていた。藤井聡は新型コロナという危機に対峙できないだけではなく、自分自身の危機にも対峙できなかった。都合の悪い現実を直視せずに、自己欺瞞を続けてきたわけですから。例えば、結構いろんな人が指摘しているのですが、藤井はMMT（現代貨幣理論）の話をずっとしていましたよね。ところが、新型コロナの補償の話になると、それを引っ込めてしまう。

中野　そうなんですよ。それは、MMTの理解に基づけば補償が可能だということになる

注12　http://www.werise.tokyo/
注13　https://twitter.com/kufuidamema/status/1338258948722323456

と、経済的損害を理由にした自粛批判ができなくなるからでしょうね。でも、MMTを引っ込めるなら、永久に引っ込めておいてもらいたいですね。あんな「Oh, Yeah」男に「MMT！」とか言われると、MMTまでトンデモ扱いされてしまうから、迷惑です。

この件について、改めて説明すると、こういうことです。

まず、MMTというのは、ごく簡単に言うと、「自国通貨を発行する政府は、変動相場制の下では、財政破綻することはなく、財源の制約はない」という理論で、それが正しければ、日本政府は、財政危機ではないということになります。本当は、もっといろいろあるのですが、MMTを議論するのは、この対談の本題ではないので、詳しくは私が書いた『目からウロコが落ちる 奇跡の経済教室【基礎知識編】』（小社刊）をご覧ください。

『目からウロコが落ちる 奇跡の経済教室【基礎知識編】』

さて、新型コロナを早期に収束させるには、ロックダウンなどによって人流を激減させる必要があるが、そうすると経済が止まって、人々は経済的に困窮し、経済苦による自殺者も増えかねない。でも、厳しく人流を減らす措置を講じても、MMTが正しければ、日本政府は財源の懸念がないわけだから、補償や金銭的支援などを十分に措置できる。したがって、経済的な打撃は大幅に緩和できることになります。しかも、外出制限措置が厳しければ、措置の期間はより短くて済むので、経済的ダメージもより小さくできると言われています。実際、人流の「八割削減」を唱えた西浦博先生は、休業補償が必要だと言っていた。[注14]

もちろん、西浦先生は、ご自身も承知されているように、経済や財政の専門家ではない。そこでMMTの出番で、MMT論者は「休業補償の話でしたら、財政的に可能ですよ」と論じるべきなのです。そうやって、感染症の門外漢でも、新型コロナ対策に貢献できる。

不肖私めも、微力ながら、国会議員の先生方にそう申し上げてきました。

補償つきの自粛については、佐藤健志さんも藤井氏に直接、説いています。ところが、藤井氏は、MMTを唱えていたにもかかわらず、二〇二〇年七月、「財政政策が行われるとは思わない」と断じ、さらに感染症の専門家でもないのに「半自粛」を唱え、挙句の果てに、尾身先生と西浦先生を公開質問状で断罪するという挙に出た。で、先ほど言ったように、二〇二〇年一二月にはコロナを飲んでもいいと発言し、人前でギターをかき鳴らし飛沫飛ばして「Oh, Yeah, Oh, Yeah」ですからね。

その「Oh, Yeah, Oh, Yeah」の頃、大阪では医療機関がすでに危機的でしたが、二〇二

注14 https://www.buzzfeed.com/jp/naokoiwanaga/covid-19-nishiura

一年四月にはついに医療崩壊し、死亡者や重症者が大勢出た。すると、藤井氏は「病床を増やさないから、医療崩壊するんだ」などと批判したのです。でも、財政政策が行われないというなら、どうやって病床を増やすんだよ。

それに、新型コロナの感染者って、指数関数的と言われるように、急激に増えるものなんでしょ。だったら、感染者数自体を抑制しないと、病床を増やしても追い付かないような事態になる可能性があったわけです。しかも、病床だけではなく、医療従事者も確保する必要があるのですが、それはもっと難しい。だから、感染拡大を防ぐために、感染症の専門家や医師たちが必死に警鐘を鳴らしていたというのに、藤井氏は警鐘ではなくギターを鳴らして「Oh, Yeah, Oh, Yeah」とマスクもしないで叫んでいたわけです。それで感染が拡大して医療崩壊したら「病床増やせって、言っただろ」って、いったい何なんですか、この人は。

適菜　藤井は田原総一朗とつるみはじめると今度は《自粛に応じてもらう代わりに徹底的な補償をすればいい。一人当たり毎月二〇万円給付しても日本が財政破綻することはない》[注15]《コロナで損した分を全部補償すればいい》[注16]などと言い出した。恥知らずにも限度がある。

二〇二〇年七月六日には《ですが、こういう意見に対して、「そんなもの、財政政策を散々やれば大丈夫なんだから、自粛にやり過ぎなんてものは、理論的にはあり得ないだろう。一方で、コロナは未知のウイルスなんだから自粛した方がいいに決まってるではないか」という意見を口にする方が、少なからずおられます。ですが当方はそういう意見には首肯できません。なぜなら、今のあの安倍内閣が、財政政策を徹底的にやるとは思えないからです。だから少なくとも今のこの状況で、いくら自粛＋財政政策を叫んだところで、成功する見込みはほとんど無いでしょう》[注17]、二〇二一年一月一〇日の段階でも、どこかの准教授の言葉を引っ張ってきて、《これは要するに、「徹底自粛＋補償を政府に要求」すると主張する輩もいるが、そういうやつこそ、典型的な社交を知らないガキだ、って話ですね。誠に痛快w[注18]》などと書いていた。間違いを認めたり、判断を翻したのなら、説明責任があります。それをせずに、一方的に喚いて自分の黒歴史を消そうとしているなら、これ以上、おぞましい人間はいないでしょう。

注15 https://president.jp/articles/-/46004
注16 https://president.jp/articles/-/46013
注17 https://the-criterion.jp/mail-magazine/m20200706/
注18 https://www.facebook.com/Prof.Satoshi.FUJII/posts/3123430714424517

オウム真理教と知識人の悪ふざけ

中野　新型コロナを巡る知識人の言説で特にあきれかえったのが、新型コロナ対策で外出を自粛するのを「生命至上主義だ」と批判する連中が出てきたことです。

生命至上主義を批判するというのは、「自分の命よりも大切な価値があると構えるべし。自分の命が何よりも大事だなどとやっているようでは、みっともない生き方しかできない」というような議論ですね。西部邁先生は、戦後日本人の精神構造を批判して、よくそういう議論をしていました。

この議論自体は、自分自身の生き方の規律としては、正しいとは思いますよ。でも、この議論は、感染症対策に当てはめるようなものじゃないでしょう。

当たり前の話ですが、感染症対策は、自分の命を守るというだけではなく、他人に感染させて、他人の命を奪わないようにするためのものです。「俺は、自分の命なんか惜しくはねえぞ」ってイキがるのは勝手ですが、「俺は、他人の命なんか惜しくはねえぞ」ってイキがっているやつがいたら、そりゃ、取り締まらなきゃダメでしょう。

生命至上主義批判をしている知識人は、もし自分のせいで他人が感染して死んだら、嘆き悲しんでいる遺族に「命より大切なものがあるだろ」って諭すんですか？　自分の御大層な死生観を、人に押し付けるのはやめてくれって話ですよ。

ところが、藤井氏は、小林よしのり（一九五三－）氏との対談の中で、こんなことを言っている。

《「もう寿命も近いから、コロナだろうが何だろうが、死ぬのは構わない。それなら残り少ない日々を、外に出て楽しく過ごしたい」という気持ちだって、何人たりとも妨げることはできないはずです。そこが通じない現状には、全体主義的な生命至上主義の怖さを感じてしまいます》

麻原彰晃。本名、松本智津夫。宗教団体オウム真理教の元代表・教祖

適菜　どこからつっこめばいいのか分かりませんが、そもそも「気持ち」を妨げることなど不可能だし、誰もやろうとしていない。「そこが通じない現状」ってなんなんですかね。

中野　そうです。「何人たりとも」とか大げさな表現をしていますが、実にナンセンスな発言です。そもそも、外出したいという「気持ち」を妨げようなどとは、誰もしていないし、できない。妨げようとしているのは、外出という「行動」でしょう。

もっとも、藤井氏は、緊急事態宣言など、外出という「行動」を妨げることを指して、全体主義的な生命至上主義だと言いたかったのでしょう。それなら、まあ、批判としては一応成り立つので、そう読み換えておきましょう。

でも、そうだとすると、今度は、「何人たりとも妨げることはできない」って、何を根拠にそんなことを言っているんでしょうか、って話になりますね。

そもそも、一般論として、自由主義国家であっても、公共の福祉のために、私権を制限することはあり得るというのは、憲法の教科書レベルの話です。ましてや、人にうつして感染を拡大させてはいけないという公衆衛生上の立派な理由があるんだから、政府が規制によって外出を妨ぐことはできるでしょう。いや、むしろパンデミックから国民を守るために公衆衛生上の規制措置を講じることは、政府の義務ですらある。その公衆衛生上必要な外出制限措置に「全体主義的な生命至上主義の怖さを感じてしまう」というのは、極端な自己中心主義者だけです。しかも、日本の緊急事態宣言は、欧米で実施されたロックダウンほど厳しい措置ではなかったのですよ。

結局、生命至上主義批判って、気をつけないと、単なる知識人の自己中の裏返しだったりするわけです。くどいですが「Oh, Yeah, Oh, Yeah」したいという自分勝手を、生命至上主義批判で正当化しているだけ。生命至上主義を批判して「俺は、死んでみせる」と大見得を切るのは結構ですが、人様に迷惑をかけたり、巻き添えにしたりしないで、一人で勝手に死んでくれよっていう話ですよ。

適菜　保守を自称しながら、都合よく急進的な自由主義者になってしまう。いや、こういう言い方は自由主義者に失礼ですね。校則がおかしいと言って、イキがってみせる中学生レベル。

中野　そういう言い方も、中学生に失礼ですよ(笑)。それはともかく、この藤井氏の発言は、彼自身が感染対策として「高齢者は、徹底的に隔離すべし」と言っていた話とも矛盾する。外に出て楽しく過ごすのを何人たりとも妨げることができないなら、どうやって、高齢者を徹底的に隔離するつもりなんですか。

要するに、物事をまじめに考えずに、単に生命至上主義批判というテンプレートを使えば知識人ぶることができると思って、それを当てはめてはいけない事象に当てはめて論じてしまったということです。実に、タチが悪い。

ところで、新型コロナを巡ってデタラメを言う知識人には、オウム真理教が出たときの知識人を思い出させるものがありますね。あれは、八〇年代から九〇年代にかけて、バブルで皆がふざけまくっていたときです。その後も構造改革とか言ってふざけまくって日本をダメにしてしまったわけですが、当時は言論も弛緩（しかん）していた。商業主義でウケればなんでもいいとなっていたんでしょうね。ちょっと気の利いたことを書いては、新しい知識だ、新しい理論だと言って調子に乗っていた。あの頃の知識人は、何を書いてもカネが稼げた時代だったと聞いたことがあります。当時は「朝まで生テレビ！」なんていう番組が全盛期だったですね。

当時の知識人というのは、そういうふざけた連中ですから、オウム真理教に対しても、高を括っていた。この平和な日本でテロ行為を宗教集団がやるなんて夢にも思わずに、麻原彰晃（一九五五－二〇一八）を面白がっていたんです。ポストモダンの理論なのか何なのか知りませんが、もっともらしく解釈してみせて面白がっていたんですよ。

適菜　中沢新一（一九五〇－）、島田裕巳（一九五三－）、荒俣宏（一九四七－）、吉本隆明（一九二四－二〇一二）……。テレビ朝日の「ビートたけしのTVタックル」に麻原彰晃を呼んだり。国家による宗教弾圧だとか言っていた「知識人」もいましたね。それをまたオウムが教団宣伝の材料にしていた。

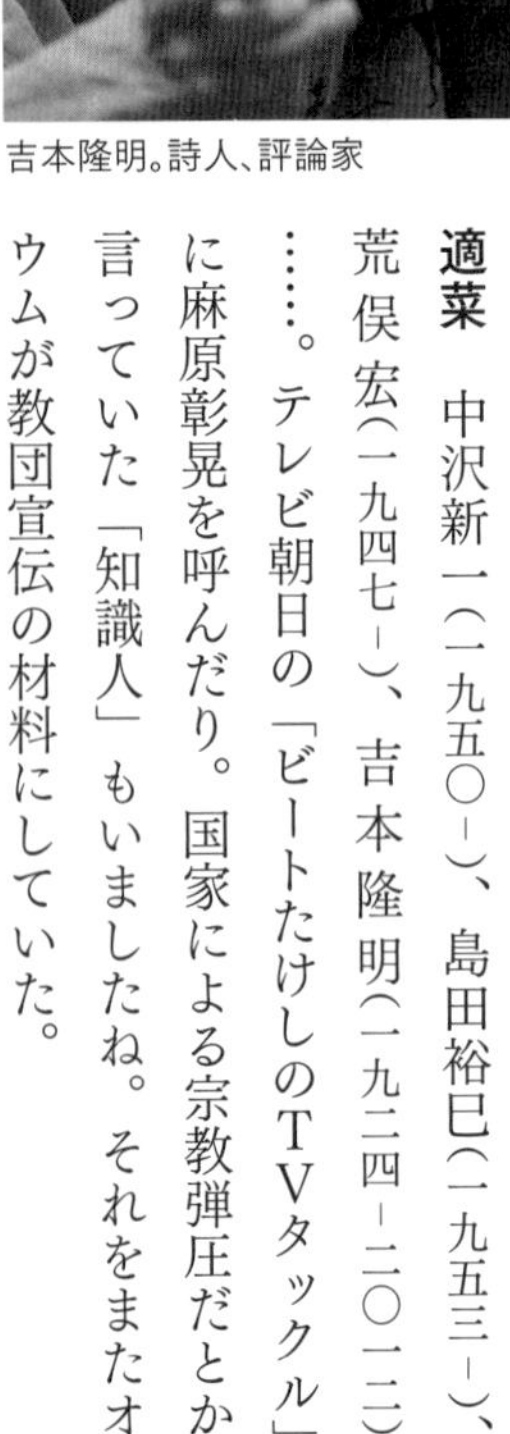
吉本隆明。詩人、評論家

中野　自分がテロに加担するとは夢にも思っていなかったから、そういうふざけたことが言えたんでしょうね。取り返しがつかなくなる可能性に気づいていたり、責任感があったりしたら、そんな危ないものには近づかないはずです。だから、一九九五年に地下鉄サリン事件が勃発すると、麻原を面白がっていた知識人連中は総崩れになった。

新型コロナも同じです。パンデミックを経験したことがないもんだから、最初は、まさか新型コロナで大勢人が死ぬとは思わなかった。甘ったれていた、世の中を舐めていたのです。それで、なんとなく、人とは違う、気の利いたことを言いたい気分になって、あるいは、世間の風潮に反発したくなって、いつもの生命至上主義批判だの、全体主義批判だのをやってみた。「単に『国民は自粛しろ。政府は補償しろ』なんていうだけの平凡な議論では、何も面白くない」とでも思っていたのでしょう。

その知識人連中は、その後どんな議論をしているのでしょうか。当初の主張を意固地になって言い張っているか、さもなくば「まあ、新型コロナ対策なんか、初めから、たいして関心がなかったんだよな」と斜に構えるか、そんなところでしょうか。そんな態度も、どうせ自分が新型コロナに感染して苦しい思いをしたら、コロッと変わると思うけれど。

日本をダメにした「朝生」言論人

適菜　だから平和ボケなのは、彼らなんですよ。山梨県の上九一色村にオウム真理教が入ってきたときに、地元の住民は反対したんです。そしたら「オウムにも自由がある」みたいなことを言い出す「知識人」が出てきた。「オウム信者の人権はどうなってるんだ？」とか。吉本隆明が宗教の倫理と世俗の倫理は違うみたいな当たり前のことを言い出して、吉本の信者もオウムの信者もありがたがってその御託宣を聞いているわけです。世の中も、常識をからかうというか、相対化するというか、浮ついていたんですね。

その後、オウム事件の検証みたいなのもありましたが、新型コロナ騒動を見る限り、なにも反省していなかったんだなと感じます。新型コロナ軽視論者も、オウムと同じように被害妄想と陰謀論にたどり着き、狭いコミュニティーの中でカルト化していきました。頭はそれなりにいいが孤独な人がカルトにはまりやすい。カルトの内部では世の中を整合的に説明してくれるし、自分と似たような考えをもつ人が周辺に集まってきます。そこではじめて自分を認めてくれる人たちに出会い、居場所を見つけたような気分になる。居心地がいいから、外部の世界と乖離していても気づかない。

一方、途中で気づいたまともな人たちは、そのコミュニティーから離れていきます。先ほども言いましたが、教祖の周辺はイエスマンばかりになるので、おだてられてますます暴走していく。オウム真理教の信者たちは目の前にある現実を無視し、何が起こっても、「尊師は悪くない」「尊師はむしろ被害者だ」の一点張りでした。そして批判されればされるほど、外部の声を聞かず頑なになっていく。自分たちは正しいことを言っているのに、それを理解できないバカがいると思い込むわけです。そしてしまいにはラジオで「大嫌い、日本人[注19]」などと言い出す。

中野 先ほど、学問上の師弟関係と、思想運動や徒党とは違うという話をしましたが、学問では弟子が師匠を批判してもよい。いや、批判できるなら、むしろしたほうがよい。それによって思想は磨かれるし、正当な批判であれば、両者の信頼関係は崩れない。小林秀雄も正宗白鳥(一八七九–一九六二)を激しく批判しましたが、小林は正宗に敬意を表していました。

ところが、徒党では、指導者を批判するのはタブーです。ですから、思想運動の徒党では、指導者とメンバーの関係は、師匠と弟子ではなく、それこそ、尊師と信者の関係のようになってしまうのです。

注19 https://www.youtube.com/watch?v=qBbw7oJ7YGs

学問における師弟関係と徒党との違いは、指導者に対する批判が許されるか否かの違いですね。指導者に対する批判もできないような知識人のグループは、単なる徒党にすぎません。その徒党の極端な形態が、カルト教団でしょう。

徒党では、もし、メンバーが指導者を批判するようなことがあると、指導者や他のメンバーたちがよってたかって批判者を抑圧したり、排除したりして、徒党の秩序を守ろうとします。知識人の徒党の場合、カルト教団とは違って、物理的な暴力で抑圧するわけではありませんが、吊し上げとか、あるいは陰口やゴシップとか、もっと嫌らしい手口を使うんですよ。実に、みっともない話ですが、まあ、指導者やら徒党やらに依存するのは、福沢諭吉の言う「私立」ができないような情けない知識人ですから、当然、そういうことになるわけですね。

話を戻すと、オウム真理教事件の教訓が生かされてないから、「知識人」の悪ふざけがまだ続いているのではないでしょうか。「朝まで生テレビ!」もそうですし、最近ではネット番組の荒れた言論もそうですが、「どっちが勝った」「言論で対決する」「論破した」といったレベルのことをやっている。大声を張り上げて自説を押し通すか、屁理屈をこね続けて、相手がうんざりして黙ったら「勝ち」という下劣なゲームです。そういう「勝ち負け」のゲームになった瞬間に、そんな議論はもうダメですね。

適菜　新型コロナの状況の変化はそっちのけで、「俺はカッコいい」「俺は議論に勝った」ということにするためだけに全精力を傾けているような人もいますよね。自己愛と全能感。自分を騙し続けることにより、信者と共に自閉していく。オウム事件当時、「なぜ有名大学を出たインテリがあんなバカバカしい宗教にハマってしまったのか」とメディアが騒いでいましたが、今回の新型コロナ騒動ではっきり分かったと思います。

時よ止まれ、おまえは美しい

中野　小林秀雄は、勝ち負けを争うような政治や論争を嫌悪していました。「政治と文学」という講演の中で、小林はこんなことを語っています。

《政治家の変節を、人は非難するが、おかしな話で、政治思想というものが、もともと人格とは相関関係にはないものなのである。そういう次第で、同類を増やす事は極めて易しい。だが、それは裏返して言えば、敵を作る事も亦極めて易しいという意味になります。空虚な精神が饒舌であり、勇気を欠くものが喧嘩を好むが如く、自足する喜びを蔵しない思想は、相手の弱点や欠陥に乗じて生きようとする。収賄事件を起した或る政治家がテーブル・スピーチでこんな事を言うのを私は聞いた事がある。「私は妙な性分で、敵が現れるといよいよ勇気が湧く。」ちっとも妙ではない。低級な解り切った話であります》(「政治と文学」)

小林はまた、ヒトラーの『我が闘争』を読んで衝撃を受けています。

《紋切型を嫌い、新奇を追うのは、知識階級のロマンチックな趣味を出ない。彼等は論戦を好むが、戦術を知らない。論戦に勝つには、一方的な主張の正しさばかりを論じ通す事だ。これは鉄則である。押しまくられた連中は、必ず自分等の論理は薄弱ではなかったか、と思いたがるものだ》(「ヒットラアと悪魔」)

適菜 ナチスの宣伝相ヨーゼフ・ゲッベルス(一八九七－一九四五)の「嘘も百回言えば本当になる」というやつですね。要するに連中は人間を徹底的にばかにしているんです。だから、算盤を弾いて人間の獣性だけに訴える。それで社会の空気を動かそうという発想になる。こうしたプロパガンダを駆使するデマゴーグとして優秀なだけの人間が、今の日本ではのさばるようになってしまいました。

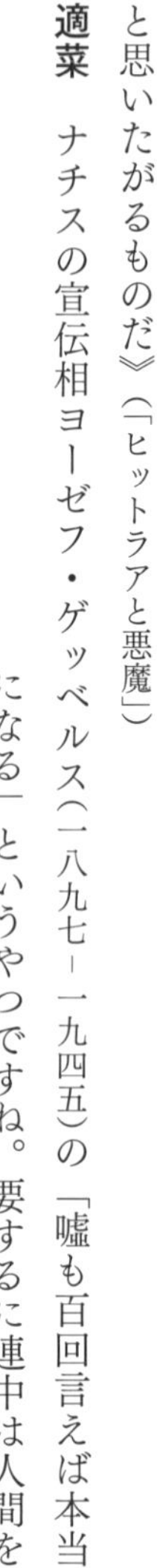
ヨーゼフ・ゲッベルス。ナチスの宣伝相

中野 そういえば、藤井聡氏が、ゲーテがどうたらとやたら口走るっていう話、ご存じですか?

適菜　何回か聞いたことがあります。『ファウスト』の「時よ止まれ、おまえは美しい」というのは、土木は大切という話、みたいなことを言っていました。あれは、ファウストが勘違いして、自分の墓が掘られている音を聞いたときの言葉なのですが。

中野　その話だったら、藤井氏が書いた「『防災まちづくり・くにづくり学習』のススメ」という文書に載っていますよ。

適菜　これ、すごすぎますね。以下、引用しておきます。

《要するに、ゲーテのファウストが言いたいのは、皆で協力して、大自然の中で自分達の暮らしの住処を作り挙げる土木の姿、防災まちづくりの姿こそが、どんな宝石よりも恋愛よりも芸術作品よりも人間のなし得る全ての行為の中で最も美しい姿なのであり、それには、どれだけ美しい夕日であろうが風景であろうがモーツァルトの音楽であろうが、何ものも優ることはできない――ということだったのです。そしてそのことが、ヨーロッパの歴史の中でも最大の知の巨人と言い得るゲーテの最終的な結論だったのです》

中野　恐れ入りました(笑)。『ファウスト』の解釈にもいろいろな説があるのでしょうし、私も詳しいわけではないけれど、そうは言っても、さすがに、こんな安っぽい話じゃないことくらいは分かりますよ。

防災まちづくりの土木事業が重要なのは認めるけれど、そもそも、なんでそこでゲーテの『ファウスト』をわざわざ出さなきゃいけないんですか。この調子だと、三島由紀夫の『金閣寺』を引っ張り出して「三島の最終的な結論は、火の用心ということだったのです」とか言いかねない。

適菜　ははは。新型コロナの件もそうですが、知らないことに口を出すからこういうことになるんです。

中野　そこで、面白いことに気づいたんです。藤井氏はファウストの土木事業の話を「土木は大事だということだ」などといった小学生みたいな解釈をしましたが、実際は、ざっと、こんな話です。

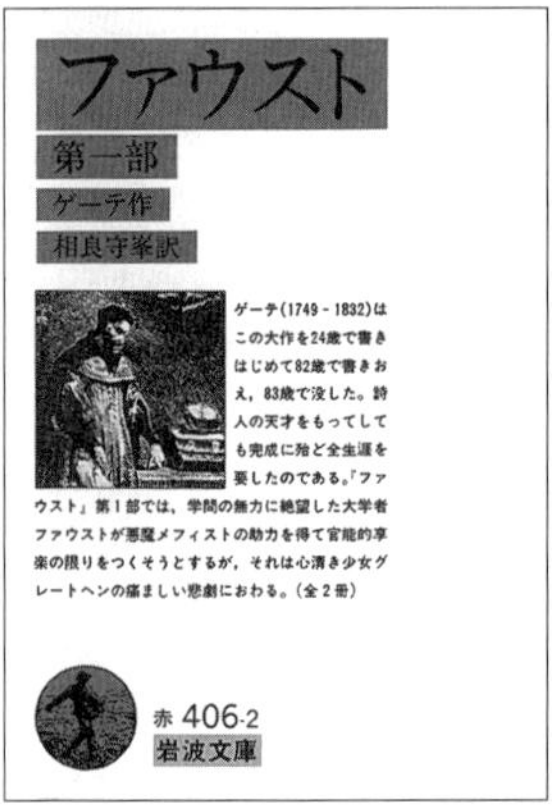

『ファウスト』

ファウストは干拓事業に邁進するのですが、海辺の土地に菩提樹の木と小屋があって、その小屋に住むピレモンとバウチスという老夫婦が立ち退きを拒否するので、事業が進まなくなる。そこでファウストはメフィストフェレスに老夫婦を立ち退かせるよう命じますが、メフィストフェレスは老夫婦を殺害してしまい、菩提樹の木と小屋は焼け落ちる。ファウストは焼け跡を見て「あとをきれいにすれば、四方をくまなく見わたすことができる」という台詞を吐いて、干拓事業を先に進めるのです。

適菜　メフィストフェレスはファウストが呼び出した悪魔ですね。

中野　このように、ファウストは、ピレモンとバウチスという高齢者を邪魔者扱いして排除するのですが、これは、『ファウスト』を土木万歳の話と理解した藤井氏が、新型コロナに関して「新型コロナ対策は、高齢者の徹底隔離『さえ』すればいい」とか言ったり、「コロナで死ぬのは、ほとんどが高齢者だ」と強調したりしたように、何かにつけて高齢者を邪魔者扱いしているのとぴったり符合する。ちなみに、藤井氏は、二〇二一年五月一七日にも、エマニュエル・トッド(一九五一－)の言葉を都合よく引用しながら、こんなツイートをしています。

《「高齢者は重症化し死亡リスクが高い(が)高齢者なので人口全体の構造への影響はほとんどない」「(自粛で若者は)これから何十年という単位で影響を受ける」「まあ自分が救急病棟に入っ(た)瞬間に『大事なのは若者を救うことだ!』なんて言えるかどうかわかりませんが」こういう議論が重要ですね》

藤井氏が何を言いたいのか、分かりますよね。ちなみに、高齢者を排除した後のファウストですが、次第に不安にかられるようになり、そして視力を失います。盲目のファウストは、それでも干拓事業に邁進し、穴を掘る鍬の音を聞きますが、それは実は、自分の墓

穴を掘る音だった……とまあ、こんな話なのです。で、ゲーテが言いたいことは、防災まちづくりの姿が何だって？（笑）

適菜　軽く眩暈が……。まさに彼は「墓穴」を掘ったわけですね。

現代の俗物図鑑

中野　ここまでくると、知識人や言論人って、喜劇というか、何だかモリエール（一六二二－七三）の風刺小説に出てきそうな感じですね。

適菜　仮にわれわれが合作で小説を書いたとして、風刺喜劇用の登場人物をつくりあげるとしたら、どんな感じになりますかね？

中野　そうですねえ、あくまで風刺小説に出てくる想像上の俗物ですが、こんなイメージかな。

深刻そうな顔にチョビ髭つけて、大学教授か何かの肩書を振り回し、やたら「アウフヘーベン」とか哲学用語・外国語を口走ってもったいつけ、人前で葉巻を吸って見せたりする。権力者にはペコペコするのに、学生や飲食店の店員とかには威張り散らし、講演ではすぐに興奮して「僕は、そういう日本人にムカついているんですよ～！」とか叫んで大演説。挙句の果てに、取り巻きにおだてられて、代議士とか市長とかになろうとしちゃったり。こんな絵に描いたような俗物、明治・大正時代はともかく、令和の現代にいたらすごいわ(笑)。

適菜　かなり味わい深い人物ですね。喜劇というより悲劇に近い。そのモリエール風の小説には、こんな架空の登場人物が出てきたら、面白いかもしれない。「僕はほんこんさんの友達なんですよお」とネトウヨのゴミ芸人とのつきあいを自慢する人。私塾での講義中にいきなり携帯電話をとりだし、政治家に電話して、ツーカーの関係を一生懸命アピールする人。居酒屋のアルバイトの若くて一番弱そうなやつを狙ってネチネチと絡む人。

モリエール。フランス王国ブルボン朝時代の俳優、劇作家

中野　やけにリアリティがありますね。さて、ノンフィクションの話に戻りますが、この対談を読んでいる読者の中には、われわれが藤井氏ばかり批判しているのを不審に思う方もおられるかもしれません。しかし、藤井氏の問題の中には、知識人・言論人の問題、さらには現代日本の問題が凝縮されているように、私には思われるのですよ。コロナ禍という危機が炙り出した現代日本の知識

人の問題。これを論じる上で、彼ほどふさわしい人物はいないでしょう。その意味では、藤井聡教授こそ、現代日本を代表する知識人の一人と言っていい(笑)。

適菜　ニーチェは『この人を見よ』でこう言っています。

《ただ私は個人を強力な拡大鏡として利用するだけだ。危機状況というものは広くいきわたっていても、こっそりしのび歩くのでなかなかつかまらない。ところが個人という拡大鏡を使うとこれがよく見えてくるのである。私がダーヴィット・シュトラウスを攻撃したのもこの意味においてであった》

《またこれと同じ意味において、私はヴァーグナーを攻撃した。もっと正確に言うと、すれっからしの人を豊かな人と取り違え、もうろくした老いぼれを偉人と取り違えているドイツ「文化」の虚偽、その本能－雑種性を私は攻撃した》

要するに、時代や危機状況といった曖昧なものは、特定の人物を論じることにより、具体的に見えてくる。単なる悪口にはなんの意味もありませんが、社会の病を把握するためには、俗物について論じるのは大切なことなのです。

第七章

「保守」はいつから堕落したのか

議論とディベートを同一視する危険

適菜　議論とディベートはまったく別物です。議論は勝敗を決めるものではありませんが、ディベートは純粋な競技です。まさに勝ち負けを競うものですよね。たとえばあるテーマが与えられると、コインを投げて表か裏かみたいな感じで、それに賛成するか反対するかを先に決めるわけです。つまり、自分の思想はまったく関係なく、第三者、ディベートの場合は審判を説得し、高い点を取ることが目的になります。よって自分を「客観的」に見せるようにしなければならない。しかし、ディベートと議論を同一視し、「日本人は議論が下手だから、ディベート教育が必要だ」みたいなことを言い出したがる連中がいる。それで、ディベートの技術が悪用されて、白を黒と言うような連中も増えてきた。詭弁と議論の区別もつかないような。これはかなり危険だと思います。ディベート自体はともかく、ディベートの有用性を唱える連中って薄っぺらいやつが多いですよね。「朝まで生テレビ！」みたいなテレビ番組も、議論の過程や合意形成を重視するのではなく、すぐに勝った負けたの話にしてしまう。その典型的な言葉が「論破」です。

新宿に「猫目」というバーがあるんですが、某居酒屋で酒を飲んだ後にそこに行ったんです。そこで、ついうっかり「論破」という言葉を使ってしまった。某居酒家で元大学教授のおじいさんと議論になって、なにかの拍子にその話になって、「そのおじいさんを論破した」と言ってしまった。大嫌いな言葉なのに。そしたら、カウンターの隣の隣に坪内祐三（一九五八－二〇二〇）が座っていて「僕は、論破って言葉大嫌いなんだよね」とぼそっと言ったんです。私は複雑な気持ちになってしまった。自分も大嫌いな言葉なのに、そのタイミングで坪内にそう言われたら、「おっしゃるとおりです」とも言えないし……。

中野　「私も嫌いだったんです」とは言えない（笑）。

適菜　こんな状況に置かれたとき、どのように対処すればいいのか。まさに未知の事態ですよ。「人の話に聞き耳立ててぼそっと言うなよ、この野郎」と言うのも変だし。その未知の事態に私はパニックになったんですよ。

中野　自分で自分のことが嫌になっちゃった。

適菜　そう。「なんで、こんな言葉を使ったんだろう」ってね。

中野　それ、よほどその元大学教授に対してむかついてたからじゃない？　その人は維新の会の支持者だったとか（笑）。

適菜　いえ、すごく立派でいい人なんです。だからなおさら嫌になっちゃった。

中野　ディベートが流行りだしたのは八〇年代なんですかね？

適菜　ディベートの団体ができたり、学校教育や社員教育に積極的に組み込まれるようになったのは八〇年代からですよね。ディベートそのものは古くて、福沢諭吉がdebateに「討論」という日本語を当てたと言われています。これが戦後復興して、学生の討論会やディベート大会のようなものになっていった。社員教育でロジカルシンキングとか言い出したり。

中野　大学に弁論部ってありますね。学生運動が華やかなりし頃は、演説なのか、なんなのか知らないけど、怒鳴り合ってたらしいですね。そういうのが私は苦手なんですが、それがしばらく流行らなくなったと思ったら、八〇年代になってエンタメ化したんですかね。「論破」というのは、いかにも「政治」的な言葉です。合意に至るという意味ではなくて、いわゆる勝ち負けという意味での「政治」です。そういう政治的な言葉をプロレスのように投げつけ合って楽しんでた。もともと、ディベート教育には「日本人は自己表現や自己主張が下手で、だから国際化できないんだ。日本人は遠慮しがちなんだ。アメリカにはディベート術というのがあるんだ。それを学べ」みたいな、そういう文脈もありましたよね。

適菜　そうなんです。これからは国際社会の時代だと。グローバリズムだと。ディベートに関する本はたくさん出ているのですが、トンデモ本も多い。その中でもひどいのが北岡俊明（一九四三－）という人が書いたもの。日本ディベート研究協会会長、日本戦略研究協会会長とか名乗っているんですが、完全にオカルトのネトウヨなんです。「ディベート大学」「戦略大学」を主催とか言いながら、ディベートに関する怪しげな説明の中に、いきなり「南京大虐殺はでっちあげ」みたいな話がぶっこまれていたり。お前がディベートの練習しろというレベルのもの。

適菜　大学とか協会とか自分で名乗ってるだけだと思いますけどね。

中野　それ、学会なんですか？

ディベートからの悪い影響

中野　いつも思うのですが、日本人が議論ができないのは「ディベート術がないから」でも「自己主張が弱いから」でもない。そもそも議論は、勝ち負けなんかじゃない。例えば、アカデミズムで何が正しいかを議論するときには、あるいは新型コロナについてもそうですが、人の生き死にがかかわってくる重要な問題を議論するときは、率直に言ってもらわないと困ることがあるわけです。その率直に言い合うような議論は、確かに日本人は弱いなとは感じるんです。ただし、日本人が議論が苦手なのは、日本人に特有な文化的なものだなどとは、私は思っていない。なぜならば、それこそ小林秀雄が言うように、伊藤仁斎とか荻生徂徠とか彼らの間ではしっかり議論ができていたからです。特に、徂徠は本当に議論が上手だった。

『日本思想史新論』（ちくま新書）という本で書いたことがありますけど、「尊王攘夷」というと、議論しないですぐに相手を斬りつけるようなイメージで、実際、そういう輩も多かったのでしょうが、少なくとも会沢正志斎（一七八二－一八六三）が書いた『新論』を読むと、本当に論証術が素晴らしい。そんなものは、やっぱりきちんと訓練を積んでいなければ書けるものではないから、間違いなく、江戸の儒学とか、あるいは政治言語の中で、そういう議論の訓練があったはずなんです。

福沢諭吉だって、そういう素養があったから「多事争論」と言ったわけです。昔、筑紫哲也（一九三五－二〇〇八）が、自分がキャスターを務める報道番組で、「多事争論」と称して、一方的に自分のもっともらしい見解を視聴者に押し付けていましたが、それは「多事争論」の誤用ですけれどね（笑）。それはともかく、多事争論を重んじたのだって、福沢にそういう素養があったからでしょう。その素養は、明らかに江戸の文化を引き継いでいるわけです。

そう考えると、日本人が議論がうまくできないというのは、日本人の伝統文化だとは思えない。ただ、現代の日本人には、学会とか、国民の生命や財産に関わる真面目な議論をしなければいけない場においてすらも、率直に発言することを嫌がる傾向があるのは事実です。私の経験でいうと、議論をしたときに「そこは間違ってますよ」と指摘すると、人格を全否定されたかのように受け取って、怒り出す人がいる。間違ってるところを指摘されたのだから、むしろ感謝すべきなのに。これはディベートができないというより、逆にディベートから悪い影響を受けて、間違いを指摘されたら「負けた」と思ってしまうからではないでしょうか。

適菜　そうですね。政治の世界も、議論ではなくてディベートの勝ち負けの世界になってきた。そうなった理由は、やはり一九九四年の政治制度改革にあると思います。小選挙区比例代表並立制の導入と政治資金規正法の改正で、国の運命はおおかた決まってしまった。小選挙区制度は、二大政党制に近づきます。死票は増え、小さな政党には不利に働く。政治家個人の資質より党のイメージ戦略が重要になるので、ポピュリズムが政界を汚染するようになった。また、政治資金規制法改正により、党中央にカネと権限が集中するようになった。これにより政治の形が変わります。かつては党内で利害調整や合意形成といった根回しをしっかりやっておかなければ党が回らなかった。派閥があったのは中選挙区だからですね。一つの選挙区で自民党の議員同士が戦うのだから、党内にも緊張関係があった。当然、同じ選挙区の議員とは同じ派閥には入らない。政策論争もあった。しかし、党の中央の権限が強くなった結果、ひたすら党にこびへつらう思考停止した議員ばかりになります。党議拘束に従えばいいわけですから、議論する必要もなくなった。下手に歯向かえば、次の選挙で公認をもらえないどころか、刺客を送られることになります。

言葉を尽くして説明するよりも、マーケティングの手法で社会の気分を探り、大衆に向けて大量のプロパガンダを流したほうが効率がいいという発想になってしまった。連中はなにかにつけて「効率」という言葉を使いますが。それで、野党とのパイプもなくなるし、自分たちの信じている正義を叫ぶだけの政治家が増えてきた。

日本が狂い始めた転換点

中野　その政治改革の雰囲気は、私が高校生、大学生だった八〇年代後半～九〇年代前半ぐらいからあったんですが、国際化とかグローバル化の流れと軌を一にしていたように思います。未だにそうだけど、当時、よく言われていたのは「日本人は意思決定が遅い」とか「根回しばかりしていてディベートで決着しない」とか、皆そう言っていたんですよ。根回しなんて世界中、どこでもやっていますよ。当たり前です。「根回し」って日本語があるからって、どうして「日本的」だと思うのか。「根回し」は英語でなんて言うか知らないけど、ネゴシエーションでもなんでもいいけども、そんなものはどこだってやっているんですよ。

適菜 「政治にはスピードが必要」とかね。小沢一郎(一九四二-)と小沢の背後にいた佐々木毅(一九四二-)みたいな学者連中、大手広告会社、テレビ朝日みたいなメディアがそういう流れを作ったんでしょうね。

中野 そうです。要するに、丸山眞男の弟子みたいな連中が、「日本は近代化が足りない。前近代的な文化を廃せ」「前近代的な意思決定は根回し。近代的な議論はディベート」だなどと説いていたのでしょう。特にビジネス系の評論家や政治改革を求める学者などが、「欧米は、意思決定が速い」とか「日本人は意思決定が遅くて、責任の所在が曖昧だ」とか、そういうことをぐだぐだ並べていた。しかし、一般的に、世界中どこでも、意思決定を速くしたら議論なんかできません。意思決定を速くするためには、議論をすっ飛ばさなきゃいけなくなるから。熟議を踏まえた民主主義的な合意形成のプロセスは、必然的に意思決定が遅いんです。だから「意思決定を速くしろ」だなどと言っている連中は、ほとんど「民主主義やめます」と言っているのと同じ。こんな連中が政治改革をしていたわけですから、すごいものですよ。

適菜 自己責任論とか唱え始めたのも、小沢の『日本改造計画』でした。あれは小沢の考えをベースに、御厨貴(一九五一―)、飯尾潤(一九六二―)、伊藤元重(一九五一―)、北岡伸一(一九四八―)といった学者が協力して書いたものですが、そこでは、新自由主義的な経済改革、貿易自由化の推進、首相官邸機能の強化、軍事も含めた積極的な国際貢献、小選挙区制の導入などが唱えられていました。小沢はこれを「民主主義的革命」と称していましたが、要するに、熟議や合意形成を重視した保守政治をぶち壊し、権力を一元化し、一気に世の中を変えてしまおうという発想です。タイトルからして「日本改造」ですから。理念による社会設計、合理的な国家の改造。これは保守の対極にある発想ですね。その後、社会をリセットするだの、新しい国をつくるだのと言い出す革命家気取り、テロリストもどきが次々と現れ、政権の中枢に居座るようになったわけです。

中野　私に言わせると、あの手の連中は、戦後教育しか受けていない。戦後教育を受けた彼らが社会で実力を発揮し出したのが、まさに九〇年代なんですよ。彼らの浅い自由主義理解、民主主義理解、日本理解が、『日本改造計画』以降に社会に定着した。自分たちの師匠から習ってきた「戦後の自由主義、民主主義」理解の典型が『日本改造計画』に書いてあるようなことなんです。私も若い頃から、それの薄っぺらいのはよく聞いていました。

　ところで、「議論とは何か」「議論で合意に達するとはどういうものなのか？」と考えたときに、先ほど論じ合った「暗黙知」の議論が役に立ちます。プラトンの『メノン』では、

「答え」は暗黙知の中を探すことにありましたが、実は、合意に達するということも同じです。合意に達し得るのは、暗黙の間に関係者の間で答えが共有されている場合です。価値観や答えが、あらかじめ共有されているから合意に達し得る。

価値観がまったく違うイスラム教徒とわれわれとで、豚肉の味を議論したって仕方がないわけですよ。「豚肉を食べる」という共通の文化がなければ、合意に達しようがない。実は、議論を通じて合意に達するのではなくて、すでに暗黙のうちに合意をしているもの同士でしか、議論はできないのです。議論して合意に達するというより、すでに合意できるものがあるから、議論がかみ合う。事前に暗黙の合意がなければ、議論自体が成り立たない。

小沢一郎。立憲民主党所属の政治家

適菜　たしかに前提がまったく異なる人間とは議論にならない。橋下徹は、「ウソをつかないやつは人間じゃねえよ」「私は、交渉の過程で〝うそ〟も含めた言い訳が必要になる場合もあると考えている。自身のミスから窮地に陥ってしまった状況では特にそうだ」「正直に自分の過ちを認めたところで、何のプラスにもならない」「どんなに不当なことでも、矛盾していることでも、自分に不利益になることは知らないふりを決め込むことだ」などと著書で述べていますが、こういう人間とはそもそも議論してはいけない。まさに「論外」なんですね。

中野　議論には、前提の共有が必要だという問題は、民主政治の形とも深く関わってきます。民主主義は、どうして国民共同体単位、あるいは地域共同体単位であるのか。なぜ、世界民主主義が存在しないのか。その理由は、もともと、国民共同体なり地域共同体が、同じ価値観を共有している人々の集まりだからです。同じ価値観を日常生活の中で共有している者同士だから、何か問題が起きたときには、共有している価値観の中から合意できる答えを探すことができる。暗黙の共通理解が、文化という形であらかじめ存在して、互いに議論しながら、暗黙の共通理解を探し出していき、それを明示化できたら、それがいわゆるコンセンサスになります。だから、多文化主義があまり行き過ぎた社会では、議論の前提となる価値観が共有されていないから、民主政治をやっても、合意に達しようがないわけです。単に、社会の分断が明らかになるだけでしょう。

移民を急激に受け入れたヨーロッパでは、さまざまな社会問題が生じています。「多文化共存」と言うのは簡単ですが、暗黙の共通理解がない限り、合意には達せない。そして、暗黙の共通理解というものは、歴史的に時間をかけないと蓄積されず、共有もされない。

急に異文化の人たちで集まっても、熟議の民主主義はできない。民主主義が基本的に国家単位であったり、地方自治体単位であって、世界民主主義が不可能であるのは、そういう理由によるものです。

適菜　それを今の自民党を支持するような連中は分からない。戦後、こうした国民の共通了解を破壊してきたのは、左翼ではなくて自民党ですよ。改革の熱狂の中で保守は排除され、今では新自由主義者やビジネス右翼までが「保守」を名乗るようになっている。しまいには、朝から晩まで「改革」と騒いでいる安倍晋三のようなグローバリストを保守と誤認し、自称保守が礼賛するという滑稽な現象が発生している。自分が何に守られているかを自覚できない「精神の幼児」が、改革の名のもとに国家の中枢から革命を起こしたわけです。小泉純一郎（一九四二－）は「自民党をぶっ壊す」と言ったが、自民党と一緒に議会主義も常識も政治のプロセスもぶっ壊しました。要するに、近代の負の側面、大衆社会の危険な部分を利用して、権力を乗っ取ったわけです。

特にこの三〇年にわたり、連中は大衆の心の一番汚いところに訴えかけてきました。「官僚や公務員はけしからん」「あらゆる規制を撤廃して、既得権益をもっている連中を懲らしめろ」と騒ぎ立て、一部の人間が別の形の利権を手にしてきた。いわゆる構造改革利権ですね。小沢一郎は「守旧派」を仕立て上げ、小泉は「抵抗勢力」を党から追い出し、民主党は官僚を悪玉にした。橋下劇場も小池劇場も手法は同じ。どこかに悪いやつがいて、正義の味方である自分たちがそれを倒すという紙芝居で、大衆のグロテスクな感情を回収する。自分たちの足場を破壊していることに気づかない大衆は公開リンチに喝采を送る。こんなことを三〇年も続けていれば、国が傾くのは当然です。

「根回し」は合意形成の必須要件

中野　そうすると、いわゆる「根回し」は何かというと、暗黙の共通理解の確認をする、いわば議論の前処理です。そのために、実は根回しをしている。根回しが終わって、暗黙の共通理解の大体の輪郭が確認できて、議論の焦点が絞られてから、ディスカッションすると、わりと容易に合意に達する。従って、意思決定を速くし、かつ、民主的にやりたいのだったら、最も意思決定が速い民主的な方法は、根回しをしておくことです。

適菜　その真逆がトップダウンという発想ですね。選挙で洗礼を受けたのだから、それは期間を区切られた独裁であると。文句があるなら次の選挙で落とせばいいと。完全にデタラメですが、小沢一郎も菅直人（一九四六－）も安倍晋三も橋下徹もほぼ同じ発言をしています。小沢は『日本改造計画』で、「必要な権力を民主主義的に集中し、その権力を巡っての競争を活性化する」「はっきりしない権力がだらだらと永続するのではなく、形のはっきりした権力が一定期間責任を持って政治を行う」と述べています。菅直人も著書『大臣』で独裁を肯定しています。

《しかし、私は誤解を恐れずにあえて言えば、民主主義というのは「交代可能な独裁」だと考えている。選挙によって、ある人物なりある党に委ねた以上、原則としてその任期いっぱいは、その人物なり党の判断にまかせるべきである》

要するに、議会政治を理解していない。政治に求められているのは議論です。第一党がやりたい放題できるなら、議会は必要ありません。そもそも多数が正しいという保証がないから、直接民主主義ではなくて議会制が採用されているわけです。

『ナショナリズムを理解できないバカ』

ナショナリズムとは近代国家の原理のことですが、以前、中野さんに、拙著『ナショナリズムを理解できないバカ』（小学館）を読んでもらったときに、私の意見はアーネスト・ゲルナー（一九二五－九五）に寄りすぎているのではないかという指摘を受けました。ナショナリズムが近代の産物であるというのは、おおおむね正しいが、「資本主義の要請に従い、世界を概念、数字に分解し、再構成する原理」は、やや書きすぎかもしれないと。ナショナリズムを産業資本主義の要請としたゲルナーの研究には、「近代国家がナショナリズムを生んだ」とするジョン・ブリュリー（一九四六-）や「ナショナリズムが資本主義を生んだので、その逆ではない」とするリア・グリーンフェルド（一九五四-）の反論もあると。

また、ベネディクト・アンダーソン（一九三六-二〇一五）は『想像の共同体』で、「純粋な観念により発生した」異常な自己犠牲について言及しているが、これは「言語」がもつ愛着の力が自己犠牲を引き起こすのであり、異常ではなく崇高なものとみなす節すらあると。つまり、私がナショナリズムを否定的に捉えすぎているような印象を受けるということですね。

中野　人工的に創られたネイションにも、まったく根っこがないわけではなかった。特に、言語ですね。近代国家は、標準語を定めて国民統合を図り、ネイションを創り出す。しかし、近代国家が定めた標準語と言えども、日本語の母体はあるわけです。明治国家が国民意識を創出したのは間違いないのですが、それにもかかわらず、明治以前と明治以降で断絶があって何もつながりがないのかというとそれも間違いです。だからこそ、日本というネイションは、近代以前からあったと想像されるわけですし、想像してもいいわけです。

適菜　「言語」に近代国家の根拠があるというのが、中野さんのご指摘だと思うんですが、一方、こうした共通了解が希薄になっていくのが近代化とも言えますね。

中野　そうです。近代化によって社会的な共通了解が希薄になると、民主主義はかえってうまくいかなくなる。だからアメリカは分断されたわけです。

適菜　だとすると、これはもうこのまま行くしかない。近代の末路はハードランディングしかないのではないですか。中野さんが前におっしゃっていたのは「世代交代」にはまだ期待はできると。でも、どうでしょうか？

近代が一方通行の構造をもっているとしたら、世代交代くらいでは近代化の作用は止まらないのではないでしょうか？

中野　近代の歴史でも、反動はありました。例えば、一九世紀のロマン主義の運動とか。最近の例だと、グローバリゼーションには、今、反動が起きているわけです。もっとも、その反動は、もっと醜いものを生んだりするかもしれませんが。単純な循環説は唱えないけれども、単線的に落ちていくのかどうか、ちょっとよく分からないところ

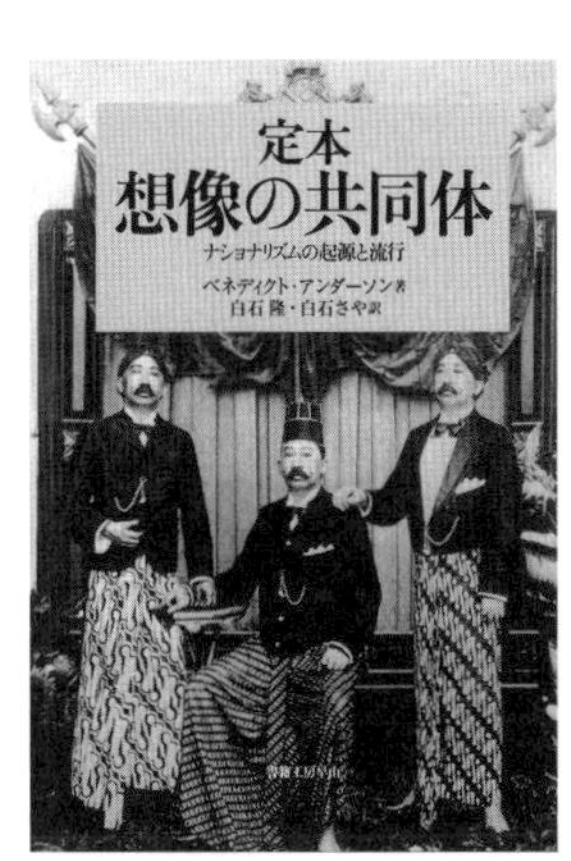

『想像の共同体——ナショナリズムの起源と流行』

はありますね。

新自由主義という堕落

適菜 中野さんは『日本の没落』（幻冬舎新書）でオスヴァルト・シュペングラー（一八八〇－一九三六）について書かれていましたけど、これは歴史を循環的に見るわけですよね。

中野 ええ。ただ、あの循環の期間はすごく長いので、反動は、私が生きている間に起きないかもしれませんが。

適菜 ああ、確かに。

中野 だけれども、バックラッシュはある。アメリカのトランプ現象は、グローバリゼーションに対するバックラッシュでした。ジョー・バイデン（一九四二－）政権は、逆にトランプに対するバックラッシュなんだけれど、一方で、バラク・オバマ（一九六一－）政権までのグローバリゼーションの時代には戻ってはいない。もちろん、うまくいかないところもあったり、手遅れなところもあるんですけれども、でも確かに反動というものはある。

世代交代に期待するという話がありますが、社会学的には、ばかにできないところはあります。先ほどの暗黙の了解と同じように、同じ時代を生きる世代によって形成され共有される共通了解というものも、確かにある。時代によって価値観が違うということになるわけです。例えば、今の五〇歳代以上が若かったときのように、グローバリゼーションだの抜本的構造改革だのに興奮するような若者は、今は、あんまりいない。そういうふうに変わってくる。

ただ、そこに大きな構造的な問題があるんです。それは、二〇世紀前半に活躍した経済学者のケインズも言っていたし、もっと古くは一九世紀初頭のイギリスの文人コールリッジも言っていたことで、もともと言い出したのはジェームズ・スチュアート(一七一二－八〇)という一八世紀の経済学者らしいんですけど、こういう話です。人間は、だいたい二五歳から三〇歳ぐらいまでに基本的な自分の価値観や考え方を形成する。だけれども、世の中で力を発揮したり、組織を牛耳ったり、政治でも影響力をもつようになるのは、だいたい四〇歳から五〇歳ですね。そうすると、歳はとっているのに、頭の中には二〇年前、三〇年前に確立された価値観や思想をもっていて、その古い価値観や思想を四、五〇歳になってから、実際に社会で実現しようとする。三〇年前の「俺は、こういう社会を作りたい」といった認識や価値観を、五〇代のときに発揮し出すわけです。しかし、そのときには、すでに三〇年、時代遅れなわけです。それで、世の中を動かしている連中の認識と、実際の世の中との間にはギャップが生じて、それでいつもうまくいかなくなる。

適菜　ああ、なるほど。だから若いときにアメリカに留学したような官僚が、権力をもった途端に時代錯誤なことを言い出すわけですね。

中野　まさにそうです。二〇〇〇年代以降、構造改革を推進してきた連中は、八〇年代までに「これからは、国際化の時代」「マーガレット・サッチャー(一九二五－二〇一三)、ロナルド・レーガン(一九一一－二〇〇四)の新自由主義は素晴らしい」といった価値観を叩き込まれている。改革派の政治家は、皆そうなんですよ。九〇年代ぐらいに若くして政治家になった連中は、軒並み新自由主義者でグローバリストですが、その頃は、まだ若いので実力がない。

ところが、その連中が二〇〇〇年代の半ばぐらいから、いい歳になって、台頭してくるわけです。彼らが、実際に政治を動かし出して、二〇〇〇年代の後半ぐらいから「改革、改革」ってやる。ところがそのときにはもう、リーマンショックでグローバル化の限界は明確になっていた。ところが、それが分からないから、グローバル化が完全に破綻したのは明らかなのに、グローバル化を進めるんだと言ってTPP(環太平洋経済連携協定)に入るとか、訳の分からないことをやり出す。もっとも、こういうズレたことをやるのは、日本に限らず、アメリカもそうです。

アメリカでも二〇〇八年にリーマンショックが起きたのを見て「グローバル化は終わっ

た」と、前からグローバル化を不快に思っていた連中は感じていた。私もそうですが、「それ見たことか」と思ったのです。ところが、オバマ政権は、その後、グローバル化を反省せずに、従来と同じ路線でやったので、アメリカ社会はめちゃくちゃになってしまったわけです。結果、トランプみたいな大統領が出てきてしまった。リーマンショックでグローバル化を反省していれば、格差の縮小に取り組んだはずなのに、アメリカの格差は、リーマンショック後にむしろ拡大してしまった。ただし、トランプが出てきた段階で、民主党系のエリートたちの世代交代も起き始めた。バイデン政権で史上最年少の大統領補佐官になったジェイク・サリバン（一九七六－）がその典型で、彼は新自由主義から決別すべきだと言っています。それで、バイデン政権は、グローバル化を反省した政策へと舵を切ろうとしている。このアメリカの政治のダイナミズムも、世代のズレと関係しているのかもしれない。

ジェイク・サリバン。史上最年少の国家安全保障問題担当大統領補佐官

適菜　この三〇年、日本は周回遅れのグローバリズム路線を突き進んできたわけで、ここに至っても現実を直視できないやつの天下になっている。

世代交代に期待できるか

中野　そうです。日本では、まだこの変化が起きていない。でも、まもなく、日本でも「世代交代」による変化が起きるかもしれない。これは、楽観論です。

ただし、悲観論もある。というのも、政党でも官僚組織でもそうですけど、今はまだ、グローバリゼーション万歳とかバブリーな価値観をもっている連中がトップにいるわけです。彼らは、自分と同じ価値観を口走るような若い連中を「よしよし、お前は、よく分かっている」と登用する。つまり、前の世代と同じ価値観をもった若者が出世する。従って、組織の世代交代は起こりにくい。例えば、テレビには、若者の代弁者のふりをした若いコメンテーターがよく出てきますが、彼らを重用しているのは、彼らより一世代前のおっさんたちでしょう。それは、改革派のおっさんたちと価値観が合うからです。彼らは、自分たちと同じ世代と価値観を共有しておらず、その前の世代が若かったころの価値観を代弁している。ですが、そういう連中がのさばるのです。というわけで、世代交代があったからと言って、価値観や思想も新しくなるとは限らないわけです。

うまく世代交代ができるか、だらだらと続けるかによって、日本が没落するのかどうかも変わってくるでしょうね。もっとも、今の日本の現状を見ていると、悲観論が正しそうですが。

適菜　平成元年、つまり一九八九年には世界史的に大きな変動が発生しました。六月四日、北京で天安門事件が発生。一一月九日にベルリンの壁崩壊。一二月三日、アメリカのジョージ・H・W・ブッシュ(一九二四－二〇一八)とソ連のミハイル・ゴルバチョフ(一九三一－)がマルタ島で会談し、冷戦の終結を宣言した。年末の東証の大納会で日経平均株価が史上最高値の三万八九五七円四四銭を記録します。このバブルで浮かれて、「やはり世の中は簡単に変わるんだ」「これからは変化の時代だ」「古い時代は終わった」「乗り遅れるな」と思い込んだ日本人は多いと思います。それと冷戦の崩壊が日本人のメンタリティーに与えた影響は大きいと思います。冷戦での軍事的な勝利がアメリカ的な価値の勝利と結びつけられてしまった。その結果、サッチャーやレーガンみたいな新自由主義が保守と誤認されるという現象が発生した。自由を神格化するのはアメリカの特殊な保守ですよね。実際、ネオコンが仕組んで中東を侵略したときに、ジョージ・W・ブッシュ(一九四六－)は十字軍って言ったんですよ。

中野　言いましたね。

適菜　アフガニスタンのタリバン政権に対して、アメリカとイギリスがはじめた戦争は、当初Operation Infinite Justice（際限なき自由作戦）という呼称でした。いわゆるネオコンの論理はこれです。近代理念を世界に押し付け、それを拒絶するものは、消滅させる。発想が保守の対極なんです。世界同時革命、レフ・トロツキー（一八七九－一九四〇）みたいな……。

「保守」が劣化した理由

中野 「保守」がおかしくなったのには、いくつか理由があるんです。七〇年代後半から八〇年代の「保守」は、大衆社会批判をしていました。戦後、豊かになり、国家による福祉が充実してきたり、労働組合の力が強くなると、権利だけ要求したり、あるいは福祉だけ要求する大衆が出てきた。そういう大衆社会現象は確かに問題だったので、「保守」は、それを批判した。戦後の福祉国家への反発としての大衆社会批判です。それが民主主義への懐疑や、民主主義の制限といった議論にもつながります。

権利を要求しましょう、大衆を信じましょうというのが左翼なので、その行きすぎを批判するのは反左翼ということで、「保守」ということになった。そういう「保守」が主張していたのが、「勝手に権利ばかり主張しないように、ルールで縛るべきだ」とか、「権利ばかり言ってないで、義務も考えろ」とか、あるいは「国に要求ばかりして頼るのではなくて自立しろ」ということ。こういう議論が行われていたわけです。

適菜　つまり単なる反左翼が「保守」ということになってしまった。しかし、反左翼は反左翼にすぎません。これは以前にもどこかで言いましたが、納豆が嫌いだからといって、保守と定義できないのと同じです。

中野　そうです。確かに、あの頃は、左翼的な権利の要求が行きすぎていたから、当時の「保守」の大衆社会批判は、ある程度、正しいとは言える。ところが、この大衆社会批判は、新自由主義と極めて親和性が高いのですよ。

フリードリヒ・ハイエク。経済学者

フリードリヒ・ハイエク（一八九九－一九九二）が典型ですが、新自由主義は民主主義が大嫌いです。民主主義に任せておくと、大衆が「くれ、くれ」って要求ばかりするので財政赤字が拡大していく。だから、財政規律を憲法で定めて民主主義を制限しろという経済学者のジェームズ・ブキャナン（一九一九－二〇一三）のような議論も出てきました。

確かに、ルールや自立を重視するとか、いくつか保守と近いようなところが新自由主義にあったのは事実だけれど、保守についての理解が浅い人たちが、保守主義と新自由主義とを一体化させてしまった。

適菜　ハイエクは社会主義を「設計主義」という言葉で批判したし、伝統や地域共同体の重要性を説くので「保守」と見なされることがあります。しかし、それは政府の介入を批判しているのであり、保守主義の文脈とは異なります。

実際、ハイエク自身が、保守主義を批判していますよね。『自由の条件』に「なぜわたくしは保守主義者ではないのか」という追論をわざわざ書いている。一応、引用しておきます。

《しかしわたくしが明らかにしようとしてきた立場は、しばしば「保守的(conservative)」と説明されることがあるとしても、その立場は伝統的にこの名称をつけられてきたものとはまったく異なるものである。自由の擁護者と真の保守主義者とを、それぞれの異なった理想を等しく脅かす動きにたいして、共同で反対させている状態から生じる混同は危険である》

《保守主義は時代の傾向にたいする抵抗により、望ましからざる発展を減速させることには成功するであろうが、別の方向を指し示さないために、その傾向の持続を妨害することはできない》

《しかし自由な成長にたいする保守主義者の讃美は一般に過去についてのみである。かれらに典型的に欠けているのは、人間の努力による新しい手段を生みだすのと同じ、設計されざる変化を歓迎する勇気である。

このことから保守主義的性質と自由主義的性質の根本的に異なる第一の点が引きだされる。保守主義的な著述家がしばしば認識していたように、保守主義的態度の基本的特性の一つは変化を恐れること、新しいものそれ自体にたいする臆病なほどの不信である》

このハイエクの保守主義批判は正確ではないし、彼が表明しているのは自由に対するかなりナイーブな信仰表明です。しかし、こうした発想が、際限なき自由の弊害に対する過小評価、市場主義に対する過大評価につながっていく。

中野　そうなんです。保守主義者のオークショットは、ハイエクの『隷従への道』について、「あらゆる計画に反対する計画」だと皮肉っています。保守主義と新自由主義は似て非なるものですが、「保守」が、反左翼ということで新自由主義に飛びついて、かつそのまま引っ張っちゃった。一九八〇年より前の保守は、アメリカやイギリスでも、むしろ、新自由主義に批判的でした。新自由主義は市場競争重視で個人主義ですから、そんなことでは保守派が重視する共同体が壊れるじゃないかと批判していたのです。

しかし、八〇年代以降、「保守」は新自由主義者と同化していく。保守主義が新自由主義と結びついたのは、私に言わせれば堕落です。どうして堕落したか。経済が豊かになったり、福祉社会になったりした六〇年代、七〇年代ぐらいに、何が起きたかというと、大衆社会になって、知識人というのものが大勢出てきて、ワーワー騒ぎ出したんですね。よく誤解されるので改めて明らかにしておきたいのですが、オルテガもそうだし、適菜さんや私もそれを理解して言っているんですけど、われわれの言う大衆社会批判といったときの「大衆」の典型は、実は知識人なんですよ。

「大衆」とはなにか

適菜　そうです。たとえば「大衆居酒屋」というような「安い」とか「貧乏」といったイメージは社会学でいう「大衆」とはなんの関係もありません。オルテガが端的に定義していますね。

《大衆とは、善い意味でも悪い意味でも、自分自身に特殊な価値を認めようとはせず、自分は「すべての人」と同じであると感じ、そのことに苦痛を覚えるどころか、他の人々と同一であると感ずることに喜びを見出しているすべての人のことである》

《人間を最も根本的に分類すれば、次の二つのタイプに分けることができる。第一は、自分に多くを求め、進んで困難と義務を負わんとする人々であり、第二は、自分に対してなんらの特別な要求を持たない人々、生きるということが自分の既存の姿の瞬間的連続以外のなにものでもなく、したがって自己完成への努力をしない人々、つまり風のまにまに漂う浮標のような人々である》
《したがって、社会を大衆と優れた少数者に分けるのは、社会階級による分類ではなく、人間の種類による分類なのであり、上層階級と下層階級という階級的序列とは一致しえないのである》

中野　大衆人というのは、専門についてしか知らないのに、専門外のことについてもなんでも知っているような顔をして、偉そうに凡庸な意見を表明するような連中のことを言うのです。そういう「知識人」「文化人」が山ほど出てきて勝手なことを言い出したのが、六〇年代、七〇年代ぐらいで、ひどくなったのが八〇年代以降でしょう。要するに、言論が堕落したんです。その頃から、誰が次に流行るかとか、言論がファッションのようになった。「保守」という思想すらも、ファッションになった。「保守」といわれる知識人も、堕落したんですね。それで、アメリカで新自由主義が流行りならそれに乗っかるようになった。私はあまり詳しく知らないので、適菜さんにお伺いしたほうがいいんですけど、三島由紀夫はそういう大衆社会におけるトリックスター的な知識人としての顔も結構あったのでしょうか？

適菜　三島由紀夫は真っ当な保守主義者でしたが、アホな時代においては自覚的・自虐的にトリックスターとして振る舞うこともあったし、同時にそれを自己嫌悪していたフシもある。自分のことを徹底的に揶揄する文章もありますし。自分の筋肉はボディ・ビルで後からくっつけた代物で、Ｇパンに革ジャンパーでイキがっていても、鼻つまみ者になるのがオチだと。だから時代錯誤と三島本人が分かっている右翼活動をあえて始めたわけです。

第八章

人間はなぜ自発的に縛られようとするのか

なぜグルを求めるのか

中野　自分を芸能人と勘違いして低俗な討論番組やワイドショーに出る大学教授もいますが、言論が大衆社会の消費物になっていく風潮の中で育った人たちは、保守についても、結構いい加減な議論をするようになっていますね。オルテガやアレクシ・ド・トクヴィル(一八〇五－五九)、キルケゴールが批判したように新聞、いわゆるマスメディアは大衆社会の温床になるんだけれど、そこから知識人も出てくる。やっぱり知識人は、大衆社会と共に出てきているんですね。保守が新自由主義に堕落したのは、もともと、知識人なるものが堕落していたからだと思う。

『小林秀雄全集』の解説で大岡昇平が書いていて「なるほどな」と思ったのは、昭和三(一九二八)年に普通選挙法が施行され、それとともに大衆社会があらわれ、それと同時に「文化人」なる訳の分からないやつらがいっぱい出てきたというのです。そして、昭和四(一九二九)年に小林秀雄が「様々なる意匠」で文壇デビューをするわけです。

大衆社会とともに現れた「文化人」が、日中戦争が始まると、ああだこうだと書き散らかす。小林秀雄は、そういう変な文化人が出てきたタイミングで自分も出ている。最初は、そういう連中を批判したり、論争的なことも書いている。途中からこれはダメだって嫌になっちゃって諦めるのですが、そういう時代背景があります。面白いのは、そういう「文化人」が、戦時中、東亜協同体論を言ったりした。小林が批判したように、ありきたりの既存理論で世の中を分かりやすく説明してみせたりした。その連中が戦争に敗けた後は、今度は「平和」「平和」と言い出した。

適菜　これは三島由紀夫が紹介している私が好きな小噺なのですが、三島の友人に素人作曲家がいて、戦時中に「大東亜行進曲」というのを作曲して、北支、中支総司令官に贈って感謝状をもらったそうです。そして戦後、それをそのまま題だけ「民主主義行進曲」と変えて、GHQへ贈り、また感謝状をもらい、二つの感謝状を額に入れて、書斎に飾ってよろこんでいたそうです。これは逞しいとも言えるし、恥知らずとも言える。そういう時代や状況に流されていく人間は自立できないので、言論界においても、文壇のボス猿とか論壇のボス猿みたいなのを探して、徒党を組むわけです。

中野　適菜さんの本に書いてあった太宰治(一九〇九－四八)と三島が最初に会ったときの話もそうですね。

適菜　そうです。三島は太宰を意識して、普段着ない和服姿で、懐に匕首を呑んで出かけるテロリストのような心境で太宰に会いに行った。会場の料理屋に行くと、座敷の上座に太宰と亀井勝一郎(一九〇七－六六)が並んで坐り、青年たちがそのまわりを取り囲んでいた。三島はこう書いています。

《場内の空気は、私には、何かきわめて甘い雰囲気、信じあった司祭と信徒のような、氏の一言一言にみんなが感動し、ひそひそとその感動をわかち合い、又すぐ次の啓示を待つ、という雰囲気のように感じられた。これには私の悪い先入主もあったろうけれど、ひどく甘ったれた空気が漂っていたことも確かだと思う。一口に「甘ったれた」と云っても、現在の若い者の甘ったれ方とはまたちがい、あの時代特有の、いかにもパセティックな、一方、自分たちが時代病を代表しているという自負に充ちた、ほの暗く、叙情的な、……つまり、あまりにも「太宰的な」それであった》(「私の遍歴時代」)

三島にはどうしても言おうと心に決めていた台詞があった。それを言わなければ、自分がこの場所に来た意味はない、そして、自分の文学上の生き方も、これを限りに見失われるにちがいないと思った。そして太宰に向かって「僕は太宰さんの文学はきらいなんです」と言うんですね。

この太宰と青年たちの間に流れている空気って、まさにグルと信徒の関係じゃないですか。藤井聡に近づいていった浜崎洋介(一九七八－)もそんな感じではないですか。

中野　あれは、レベルが相当違いますけどね。

適菜　浜崎ってもともと、柄谷行人（一九四一－）に近づいていたらしい。ＮＡＭ（国家と資本への新対抗運動）に入ったり。

中野　ＮＡＭって、無くなっちゃったやつね。南無、南無（笑）。まあ、若いうちに、師匠を求めて偉い知識人に弟子入りすることは不健全なことではないし、若気の至りで師匠を選び間違えることはあるでしょうが、太宰の取り巻きのように、単に、グルに依存したり、徒党を組みたかったりする体質だった可能性もありますね。

適菜　結局、グルを求める体質の人と、信者を求めるグル体質な人間がいる。そこで相互依存関係の共同体が発生する。コミュニティがカルト化していくのは危ないということが、今の『表現者クライテリオン』を見ていてよく分かります。結局、自立できるかどうかって話だと思うんですよね。グルに忖度していれば言論は成り立たないですからね。

中野　そうです。だから結局、福沢諭吉の言う「私立」ができるかどうかという問題に戻ってきますね。

適菜　三島が太宰にケチをつけたところで、共同体は壊れるものでもない。私塾も、共同体なので、グルと信者の関係になってくる。

中野　明らかにそうですよ。これは、本当に困った話ですが、先ほど議論したように、教育というものは、先生と学生、師匠と弟子との間に、一種の共同体のような関係がないと、うまくいかないところがあります。未熟な弟子は、いったんは師匠を信じて、教えを体得していかなければなりません。自立だ私立だと言っても、それはある程度、成長した後での話で、未熟なうちは師匠に依存せざるを得ない。私も、大学や留学先の大学院で、優れた師匠に出会ったという得難い経験があります。例えば、佐藤健志さんのお父上の佐藤誠三郎先生は、本当に素晴らしい師匠でした。

ところが、残念なことに、世の中、そういう立派な先生ばかりとは限りません。弟子が自分に依存してくるのに快感を覚えるような歪んだ人間が、師匠になりたがる場合があるのです。「先生、先生」と呼ばれて、威張りたいような人間ですね。そんなグル体質の連中は、大学教授にもいるし、大学では飽き足らず、勉強会やら私塾やら開いたりする。そういうグル体質の知識人にとって、学びを得ようと塾に入ってくる若者は、格好の捕食対象です。

若者のほうにも問題がある場合がある。彼らは、もちろん学びを得るために来るのだけれど、実は、単に、誰か偉い知識人に依存して安心したいだけだったりするのですよ。そういう弱い精神の持ち主が、安心を求めて、私塾を開いた知識人の下に集まってくる。わざわざ捕食されに来るようなものです。知識人に騙されて信者になるのではなく、最初から誰かの信者になりたくて、やってくるのですね。そして、師匠に認められようと、必死になる。

適菜　そういうやつは多いですね。大衆社会における自ら積極的に縛られようとする人たち。

中野　世の中には、誰かの信者になりたがっている不安な精神の持主たちがいる。グルになりたい知識人は、私塾を開いて、そういう不安な人たちを誘い、呼び込み、そして捕食する。言わば、食虫植物のようなものです。「先生、先生」といって寄ってくる無抵抗な者を、「教育」と称していたぶるのです。塾生は信者だから、いたぶられても離れていきません。むしろ、いっそう、師匠に認められようとして、すり寄ってくる。おかげで、グル体質の知識人は、自分のサディスティックな欲望をたっぷり満たすことができる。

繰り返しますが、本物の教育においても、弟子は師匠に依存せざるを得ず、また学校や研究室といった学びの場は、ある種の共同体になります。しかし、サディスティックに歪んだ知識人は、そういう共同体になる教育の場を、捕食の場として悪用するのです。本当に、気分が悪い。

適菜　某大学院教授がやっているのもまさにそれですね。私塾に来る一番弱そうなやつに難癖をつけて絡む。

中野　弱そうなやつは、捕食対象になるのですが、逆に、自分を脅かすような優れたやつが弟子の中に紛れ込んでいたりなんかすると、それもまた大変です。

本当の教育の場である学校や塾であれば、師匠は、優れた弟子が入ってきたら、大喜びをします。ところが、先生と呼ばれてふんぞり返っているだけの、グル的な知識人にとっては、優れた弟子は脅威でしかない。自分がハッタリだけのフェイク知識人であることを、その優れた弟子に見抜かれているんじゃないかと、びくびくするわけです。そこで、その優れた弟子を陰で貶めたり、足を引っ張ったり、因縁つけてマウンティングしたり、他の信者たちをけしかけて叩かせたりするわけです。その弟子は、そのうち、うんざりして出て行ってしまう。そうすると、信者たちは「あいつは、大先生に後ろ足で砂をかけた」と彼に罵声を浴びせ、グルへの忠誠心をいっそう強めるという……。まあ、この話は、この辺にしておきますか。

アルコールと理性の限界

適菜 私の偏見かもしれないけど、大酒飲みの人間って人間理性にすごく懐疑的になると思うんですよね。酔っ払いって毎日理性を失っているわけではないですか。そして時間が経つとまた正気に戻る。毎日そういうことを繰り返していると、理性がいかに脆弱なものかと分かるようになると思うんですよね。

中野　そんなこと言ったら、麻薬だってそうじゃない(笑)。

適菜　そうなんですけど。でも酒を飲めないやつって、生真面目で堅物で話が通じないというイメージが昔からありますよね。酒飲んで酔っ払うやつは、太るから食べてはいけないと頭では分かっていながら、ラーメンを食べてしまったり。

中野　人間って、体に悪いものを欲しがりますよね。

適菜　理性的に考えたら、体に悪いものを食べてはいけないと分かっているのに、現実世界ではつい飲みすぎてしまう。小林秀雄も福沢諭吉も大酒飲みだったし。福沢は少しお金が入ってくると、すぐに酒に代えてしまった。小林もひどいですよ。泥酔して見ず知らずの人の家に飛び込んで、「酒出せ」って騒いだり。そしたら本当に酒が出てきて飲んじゃったりね。あと、一升瓶を持ったまま駅のプラットホームから落ちたんですよ。

中野　水道橋駅でしたっけ?

適菜　ええ。当時の駅のプラットホームの壁は、鉄骨に丸太を括っただけの粗末なもので、小林はその丸太の隙間から一升瓶を抱えたまま一〇メートル下の空き地に転落した。終戦直後なので、周りには鉄材などが積まれていたので、普通だったら即死だけど、運が良くて柔らかい泥に石炭殻の積んであるところに落ちたんです。それで、妹の潤子が見舞いに行くと、小林は元気で寝床の上に座っていたという。そのときに小林は真面目な顔で、「これはおふくろが守ってくれたとしか思えない」と言ったらしい。

先ほど中野さんも紹介されていましたが、小林はベルグソン論の「感想」で終戦の翌年に死んだ母について書いています。戦争が終わって母親が死んだ。自分の母親の死という経験は、戦争よりもずっと大きかったと。母親の死の数日後に小林は奇妙な体験をした。扇ヶ谷の家の前に小川があって、夕暮れに門を出ると、今まで見た事もないような大ぶりの蛍が飛んでいたと。それで小林は「おっかさんは、今は蛍になっている」と思うんですね。近代人から見れば、それは迷信とか感傷に見える。理性的に合理的に解釈すればそうなる。でも、小林にとってはただ蛍がおっかさんだったのであり、それ以上でもそれ以下でもなかった。そこの部分、引用しておきます。

《だが、困った事がある。実を言えば、私は事実を少しも正確には書いていないのである。私は、その時、これは今年初めて見る蛍だとか、普通とは異って実によく光るとか、そんな事を少しも考えはしなかった。私は、後になって、幾度か反省してみたが、その時の私には、反省的な心の動きは少しもなかった。おっかさんが蛍になったとさえ考えはしなかった。何も彼も当り前であった。従って、当り前だった事を当り前に正直に書けば、門を出ると、おっかさんという蛍が飛んでいた、と書く事になる》

こういう感覚は先ほどの柳田の「体質」の話とつながるかもしれません。小林が柳田やベルグソンを扱ったのも、理性や合理だけで生きている近代人への挑発です。小林はベルグソンについてこう言っています。

《ベルグソンの哲学は、直観主義とか反知性主義とか呼ばれているが、そういう哲学の一派としての呼称は、大して意味がないのでありまして、彼の思想の根幹は、哲学界からはみ出して広く一般の人心を動かした所のものにある、即ち、平たく言えば、科学思想によって危機に瀕した人格の尊厳を哲学的に救助したというところにあるのであります。人間の内面性の擁護、観察によって外部に捕えた真理を、内観によって、生きる緊張の裡に奪回するという処にあった》(「表現について」)

アンリ・ベルグソン。哲学者

中野　小林秀雄は主観を重視したので、客観的・科学的なものを拒否する主観主義者のように誤解されがちですが、正確には、主観と客観とは分けられるものではないと言っていたのです。特に、歴史がそうです。歴史的事実は、純粋な客観的事実ではあり得ない。歴史家の主観が、過去の無数にある事実の中から取り上げるべき歴史的事実群を選び、それらをストーリーとして構成する。それが歴史です。かといって、歴史は、歴史家が主観で勝手に作り上げたものというわけでもない。史料という客観的なものをベースにしなければならないからです。歴史は、まさに客観と主観が重なり合ったものです。小林は、歴史とは、子を亡くした母が、遺児の遺品を見て、我が子を思い出すのと同じような営為だとも言っていました。歴史の本質を語る上で、実に優れた表現だと思います。

適菜　先ほどE・H・カーの話をしましたが、理論や概念で一般化できるような歴史はない。個別の、自分の固有の身体とそこに密接に結びついた過去の思い出とか、そういうものを重視しない限り何も分からないということですね。小林がベルグソンについて同じことを書いています。

ベルグソンがある大きな会議に出たときに、参加者の女性がフランスの高名な医者に向かって「自分の夫は遠い戦場で戦死したが、ちょうどその時刻に夫が死んだ夢を見た。夫をとりまいている数人の兵士の顔まで見た。後で調べてみると、夫は夢で見た通りの恰好で、周りを数人の同僚の兵士に取りかこまれて死んでいた」と言うんですね。ベルグソンはそれを聞いて、「これを夫人が頭の中に勝手に描き出したものと考えるのは難しい」と考える。どんなにたくさんの人の顔を描いた画家でも、見たこともない一人の人間の顔を想像して描き出すことはできない。よって、念力といういまだにはっきりとは知られない力によって、直接見たと仮定してみるほうがよほど自然だし、理にかなっていると。

すると、高名な医者は理性的、合理的な説明を始める。昔から身内の者が死んだとき、死んだ知らせを受取ったという人は非常に多い。だが、死の知らせが間違っていたという経験をした人もまた非常に多い。どうしてその一方だけに気を取られるのかと。

極めて真っ当な指摘ですが、ベルグソンはそれは違うと思う。合理的、論理的、理性的な判断が個別の女性の人生にとってどれだけ意味があるのかと。その会議に参加していたもう一人の若い女性が医者に向かって「先生のおっしゃることは論理的には非常に正しいけれど、何か先生は間違っていると思います」と言うと、ベルグソンはその若い女性のほうが正しいと思った。小林がベルグソン論を書き始めた理由はそこだと思います。個別の生は理性や合理では片付けられないのです。

「科学」に対する誤解

中野　世間には誤解があって、そういう小林的、ベルグソン的、あるいは柳田國男的なもの、つまり、霊的なもの、想像力、「蛍とおっかさんの話」みたいなものは、科学とは反対のものとみなされる。丸山眞男的に言うと、科学と対立する「実感信仰」ということになる。でも、ポランニーの「暗黙知」もそうだし、ベルグソンもそうだし、小林も柳田もそうですが、インスピレーションという言葉があるように、科学の根っこには、そういう見たままを信じるとか、霊的なものに対する感受性の強さといったものがある。科学は、究極的には、そういったものに根差しているのであって、対立するものではない。

丸山眞男は本居宣長を、実感信仰の典型みたいに言っています。要するに、宣長は漢ごころという論理的なものを否定し、大和魂、情緒、実感を重視したというわけです。しかし、小林は、そうは取らない。そういう上代の日本人、太古の日本人の世界を信じている宣長は、実はオランダ由来の近代的な天文学に精通していたというのです。宣長が拒否したのは、近代的な天文学ではなく、陰陽五行説というイデオロギーに基づく暦でした。柳田も蝋石を見て発狂しかかった豊かな直観、センスがあったからこそ、民俗学を打ち立てることができた。ニュートンもハインリヒ・シュリーマン(一八二二-九〇)もそうだったのかもしれません。実はベルグソンが強調しているような世界こそが、本当の科学的な発見に直結している。まさに小林と数学者の岡潔の対談『人間の建設』は、その典型です。岡潔は、数学といういかにも理性の枠を極めたようなことをやっているんですけど、彼ほど情緒や直観を重視した数学者もいない。それを磨いて理論につなげていく。

適菜　広大な人間の経験がまずあって、生活がある。それを合理的な経験だけに絞って近代的に解釈してしまうと危ない。小林は「計量」という言葉を使いますね。合理主義者は現象の具体性に目を瞑ってしまう。そのおかげで近代科学は発達したが、精神の本質は計量を許さないところにあると。岡は感情を抜きにして数学は成り立たないと言います。これはすごい指摘ですね。時間があるから生きるという言葉の内容を説明できるのであり、時間は人間的な現象であり、情緒に近いと。岡もポランニーと同様、超越的なものの権威を認めなければ、理性が暴走し、人類の危機を乗り越えることができないと言っている。

われわれがこれまで論じてきたことを岡は端的に言っていますね。

《理性というのは、対立的、機械的に働かすことしかできませんし、知っているものから順々に知らぬものに及ぶという働き方しかできません。(中略)ところが、知らないものを知るには、飛躍的にしかわからない。ですから知るためには捨てよというのはまことに正しい言い方です》《理性はまったく純粋な意味で知らないものを知ることはできない。つまり理性のなかを泳いでいる魚は、自分が泳いでいるということがわからない》

岡潔。日本数学史上最大の数学者と言われる

岡も小林と同じように寺小屋式の素読を勧めましたが、複雑なものを複雑なまま受け容れ、身体に覚えこませることが重要だからです。天才的な数学者の思考はこちらのほうにある。岡は京都帝国大学で湯川秀樹（一九〇七－八一）や朝永振一郎（一九〇六－七九）を教えています。湯川も朝永もノーベル賞を取りましたが、岡自身も数学界の難問だった「クザンの問題」「ルンゲの問題」「レヴィの問題」などをすべて解決した。岡は理性万能主義を批判し、数学にさえ、健全な意義を求めました。数学も身体的なものです。身体に根拠があるものを合理だけで捉えるから間違うんです。美しいというのも、身体的な現象ですよね。ゲーテがすごくいいことを言っているので、引用しておきます。

《たとえば、年ごろの娘の自然の使命は、子供を生み、子供に乳を与えることだから、骨盤の広さが十分でなかったり、乳房が相当ふくらんでいなかったりすると、美しいとはいえないだろう。ところが、それが度を越しているのも、美しくはない。それは、合目的性を通り越してしまうからね》

身も蓋もないけどその通りです。極端な巨乳はあまり人気がない。

中野　シリコン入れてるとかね（笑）。

適菜　もう一つ私が好きな話があって、『徒然草』に出てくるのですが、久米の仙人は女の脛（すね）の白いのを見て神通力を失ったと。これも含蓄のある話ですね。伝説の仙人でも自然の前では神通力を失うんですよ。

イスラムでアルコールが禁止されている理由

中野　小林秀雄は、リズム、拍子が大事なんだと言います。先ほどもお話ししたように、デューイの美学も同じ。太陽が巡るとか、心臓が脈を打つとか、自然にはリズムがあります。人間というものは、リズムがあるものを美しいと感じるらしいのです。「美しい」「崇高」という感覚は、人間のナチュラルなところと深い関係がある。シュペングラーは自然環境と近い人間の存在を「現存在」と言い、過剰な知性を「覚醒存在」と言っている。

オスヴァルト・シュペングラー。文化哲学者、歴史学者

人間には「現存在」と「覚醒存在」の両方の側面があるんですが、例えば、農業を大事にするのは、「現存在」の重視ですね。農業は自然環境と深く関わり合うものだから。土地や土着のものに根付くのが、「現存在」としての人間の在り方です。逆に、都市化やグローバリゼーションにより、あ

ちこち行ったり来たりするような人間は、「覚醒存在」のウエイトが大きい。「現存在」より「覚醒存在」のほうに傾いていくのは野蛮だ、文明の没落だとシュペングラーは言っています。

シュペングラーによれば、「覚醒存在」は男性的で、「現存在」は女性的。確かに、女性のほうが生理のサイクルがあったり、子供を産んだりと、自然に近い。逆に男性は、「覚醒存在」、すなわち知性のほうに傾く。こういう言い方をすると、フェミニストたちがキーキー騒ぐんだけれども、実はシュペングラーは、「覚醒存在」より「現存在」のほうが優れていると言っているんです。要するに、男より女のほうが偉い(笑)。

適菜 そうなんですよ。シュペングラーはゲーテやニーチェに大きな影響を受けています。ニーチェに関する誤解の中でもとんでもないのは、「ニーチェは女性を差別している」みたいなことを言い出すやつがいる。

中野 ニーチェとシュペングラーは、女性ではなく、男性を差別しているんですね(笑)。

適菜 その通りです。ニーチェは自然に近い女性を全面的に肯定し、概念の世界に幽閉された男性のまね事をする女性を批判しているのですから。

《女性たちの男性化こそ「女性の解放」にうってつけの名称である。言いかえれば、彼女たちは、男性が現今示している姿にのっとっておのれを形づくり、そして男性の諸権利を熱望している。私はこの点に現今の女性たちの本能における一つの変質を見てとる。彼女たちは、こういう仕方では自分たちの権力をみずから破滅させるということを、知らなければならないのだが》（『生成の無垢』）

こんなことは一回でもニーチェを読めば分かることなのに、平気でデタラメなことを言う連中が多い。本当に面倒くさいですけどね。

中野 ということは、さっきの酒の話も、「覚醒存在」を鈍らせるってことなんですかね。

適菜 そういうことだと思います。ニーチェの議論で言うと、ディオニソスです。

中野 そうか、よく分かりました。自分のことを考えてみると、知的作業をやるときは覚醒しなければいけないので、コーヒーでカフェインを多く摂るんですよ。カフェインとアルコールって、正反対ではないですか。カフェインを摂り過ぎて覚醒しているときは、かなり危険な状況になりますね。もちろん大酒飲みも危険だけれど、「覚醒存在」のほうを強烈に鋭くしていると、結構危ない。

適菜 理性過剰ですか？

中野 そう。理性過剰になる。でも、そうすると、カルーア・ミルクみたいにコーヒーと酒が混ざっているのを飲むと、どうなっちゃうのか（笑）。

適菜 また議論が膨らんじゃいますね。別の方向に。

中野　宗教で禁止されている場合を除いて、どこの国でも酒を飲むという文化があるのは、「覚醒存在」から「現存在」に帰るためなのかな。酒で、理性が鈍るから。

適菜　イスラムでアルコールが禁止されている理由は、まさにそれですよね。

文壇バーと過剰な自意識

中野　人間は、敢えて理性を鈍らせる必要があるんでしょうね。でも酒乱っているじゃないですか。すぐ寝ちゃう人はそれこそ自然に帰っていていいんでしょうが、泣き出すやつとか、いますよね。説教するやつもいますが、あれは何なんですか。アルコールによって、本性、つまり人間のネイチャーが出ているんですか？

酒癖が悪いのを、そいつの本性だと見ていいのか、よく分からない。もし単純に体質の問題だったら申し訳ないけれど、居酒屋とかで説教しているやつとかを見ると、本当に不愉快ですね。

適菜　本当ですよ。私がよく行く鮨屋に質の悪い常連客がいる。カマキリみたいな顔をした建設会社の社長が部下を三人くらい連れて、説教しているんですよ。なんできちんとした鮨屋で、ジジイのくだらない説教を聞かなければならないのか。基本的に月曜日にそいつがいる可能性が高いのですが、念のため暖簾をあげて、店の中を確認してから入るようにしています。後から入ってきたときは、勘定を済ませて、すぐに帰ります。

中野　文壇バーみたいなのがあるじゃないですか。知識人やら編集者やらが集まっている薄暗い、昭和っぽいところ。私は、ああいう場所が大嫌いなのです。若くてよく分かっていなかった頃は、そういう酒場に優れた知識人が集まって大人の社交をしていて、有意義な時間を過ごしているんだろうと思って、よく連れて行ってもらったりしていました。でも、いつまでたっても、楽しくもなんともなかった。なぜなら、大声で論争をするとか、偉そうに人に説教するとか、小難しい議論をふっかけて絡むとか、自分の人生の話、しかも同じ話ばかりするとか、そういう連中ばかりだったので。無頼ぶってるやつとか、気どって煙草の煙なんかくゆらせているやつとかもいるし。ある時、映画関係者なのか何なのか知りませんが、六〇近い男が、女にフラれたとか言って、テーブルの角でメソメソ泣いているのを目撃したこともあった。

歳をとったら、そういう場所の良さが分かるようになるのかと思ったら、まったく反対で、歳をとるにつれて、むしろ耐えられなくなってきた。もう二度と行くことはないでしょうね。そんなところに出入りするのが「社交」だなんて、勘弁してもらいたい。

適菜　結局、ああいう連中は自分語りをしたいんですよ。寂しいんです。

中野　そう、過剰な自意識の集まり。だからそんな連中と一緒に酒を飲んで酔う気にならないわけ。

適菜　私も文壇バーは大嫌いですよ。

中野　ああ、そうですか。よく、バーに誰々がいたという話をされるから、しょっちゅう行っているのかと思いました。

適菜　いや、滅多に行きません。行ったときに偶然、あいつがいたとか、そういう話をしているだけで。私も昔から文壇バーが嫌いでした。基本的に左翼の死に損ないみたいなやつが、ノスタルジーに浸って傷を舐め合ってるじゃないですか。あれは気持ち悪い。でも若いときは、すごく気持ち悪かったんですが、少し大人になって、四〇越えて行ったら、新宿の文壇バーの「風花」のおばちゃんは偉いなと少し思った。毎晩、キチガイの酔っ払いを相手にしているわけですからね。

中野　それは思うね。文壇バーの女将は女酋長みたいな感じがする(笑)。だからそういうママに甘えている。いつまでも大人になれないおじいちゃんたちが集まっている。

適菜　自分が大好きだから、自分を見てほしいし、自分の歴史を語りたがるんです。公園のベンチに座って、いきなり自己語りを始めるジジイとか、たまにいるじゃないですか。それこそ、寅さんみたいに「帝釈天で産湯をつかい」みたいな。あれに近い。

中野　でも今の若い連中は、そういうところにもう行かないでしょ？　行くの？　知らないけど。

　適菜さんとこうやって話しているうちに、言葉って怖いよなと今更ながらに思います。私もものを書く身だけれど、言葉を操るというのは、よっぽど気をつけてやらないといけないなと思います。文壇バーでクダを撒いている知識人のおっさんたちだって、皆言葉を操っている職業です。でも、そこで言葉にたぶらかされたり、言葉の扱いに困って堕落するのかなという感じがだんだんしてきたなあ。

適菜　言葉だけ過剰になり、それを持て余してしまう。わざわざ新宿まで出掛けて行って、クダを撒いて他人に聞かせるわけですからね。悲壮感がある。

中野　最近は、ＳＮＳだかブログだか知らないけれども、訓練も積んでいないのに、不用意にものを書き出して、公表しちゃう人がたくさんいる。別にかまわないんですが、しかし、言葉は自意識を増長させるようなところがありますよね。言葉は自分に向ければ自意識を増長させ、人に向ければイデオロギーになる。だから本当に厄介だなと思います。

　そう言えば、私の文章を「律動があるね」とほめてくれた批評家がいたという話をしましたが、その彼がもう一つ不思議なことを言っていて、「中野さん、あなた、嘘書けないでしょ」っていきなり言うのですよ。ちょっと意味が分からなくて、「まあ、そう言われると、そうですね」って応じたら、「それはね、あなたの文体が嘘を書かせないんだよ」と言うのです。

適菜　いいことを言いますね。

中野　先ほども言いましたが、私は、書くということは危なっかしいから、とりあえず率直に書こうとだけ思っています。でも、率直に書くのを心がけて率直に書いているのか、率直に書く言葉が私を率直にしているのか、よく分からなくなってきましたね。「文体が嘘を書かせない」って、一〇年ぐらい前に言われたことで、そのときは何を言っているのかよく分からなかったんだけれど、今、考えてみると、大変ほめてくれたんだなと。私をほめたのか、言葉をほめたのか知らないけど。

適菜　文体から人間が見えてくるという話です。

中野　やっぱり、文体のほうが書いている人を操っているんですね。

第九章

人間の本質は「ものまね」である

コロッケが偉大な理由

適菜　文体も模写により学ぶものです。歌もそうです。音符が最初にあったわけではなくて、歌は模写で始まっている。言葉も同じです。だから、すべての基本は「ものまね」なんですね。以前、中野さんにお話ししたかもしれませんが、君島遼(一九九一－)が小林幸子(一九五三－)のものまねをするじゃないですか。

中野　うん。恐るべきものまねですよね。

適菜　テレビのものまね番組で、ものまねの最中に、本人が後ろから出てくるのは、お決まりの演出ですが、小林幸子本人より君島遼のほうが似ている。どうしてそういう現象が発生するかというと、小林幸子の構造の部分を捉えているからですよね。われわれが小林幸子を見て、小林幸子と認識できるのは、別に細かいところを見てそれを足し算して答えを導き出しているのではなくて、これまでの話で言えば、暗黙知が作用しているわけです。達人はそれを見抜くから、本人以上に本人ができてしまう。小林幸子本人にはわれわれが小林幸子だと認知している以外のものがたくさん付随しているわけだから。

コロッケ(一九六〇－)もそれほど歌はうまくないのに、すごく似ているという現象が発生しますよね。対象の骨格を見ているからです。

中野　私も同じことを考えているのですが、小林幸子でも五木ひろし(一九四八－)でもいいけれど、われわれはテレビや劇場とかで見ても、実は正確に認識していなくて、いくつかの特徴を象徴的に掴んで「小林幸子」「五木ひろし」と無意識に認識しているわけです。だから小林幸子を「絵に描いてください」と言われたら、もちろん普通は絵に描けないんだけど、仮に自分の頭にいる小林幸子を絵に描いたら、君島遼のまねとそっくりになるかもしれない。だから、無意識に認識しているものを表に出されると、笑ってしまう。特にコロッケは、全然似てないものを似てるような気にさせるので、そんな気になった自分がおかしいって笑う。笑うだけでなく、それをやってみせたコロッケにひそかに敬意を抱きますね。

コロッケ。ものまねタレント、歌手、コメディアン

適菜　それが芸の本質であり、ベルグソンの言うようにベールを剥がすわけですね。コロッケが野口五郎(一九五六－)のものまねをやるときに、唄いながら鼻をほじって鼻くそをパクッと食べるじゃないですか。もちろん、本物の野口五郎はそんなことはやらない。しかし、コロッケは野口五郎

本人よりも、野口五郎がやりそうなことを見抜くわけです。

中野 ホリ（一九七七－）が木村拓哉（一九七二－）のものまねをするでしょう。「ちょ、待てよ」と。でも、木村本人は「ちょ、待てよ」ってセリフ言ったことがないんですって。そういうことを言っているような感じがするというだけなんです。Gたかし（一九七八－）という藤原竜也（一九八二－）のものまねをする芸人がいるのですが、彼が床にひっくり返って「床がキンキンに冷えてやがるよ〜！」って叫ぶんですよ。それを藤原の目の前でやったのをテレビで見たことがあるのですが、藤原は最初笑ってたんだけどムッとして「俺、そんなこと言ってないですよ」って。

適菜 それはすごい。言っていないのに、本人よりも言いそうなことを言う。巨匠清水ミチコ（一九六〇－）の松任谷由実（一九五四－）や矢野顕子（一九五五－）のものまね芸に近いですね。そう言えば清水ミチコは矢野顕子のものまねをするときに、いたこみたいに矢野を降ろすんです。まさに「憑依（ひょうい）」です。

中野 われわれは、ものを見たり聞いたりするときも、正確に理解などしていない可能性がある。結構恐ろしい話です。

ところで、ものまね芸は、ラスベガスでもマイケル・ジャクソン（一九五八－二〇〇九）やエルヴィス・プレスリー（一九三五－七七）のまねをしている芸人がたくさんいますが、日本のものまね芸は傑出しているのではないですか。

適菜 この対談でも述べてきたように、特に日本の芸能では、型と修業を重視します。それと関係あると思います。芸能は型を叩き込みますよね。世阿弥(一三六三?－一四四三?)が『風姿花伝』で言っているのは、芸の本質はものまねということです。能のもとになった猿楽の基本は「ものまね」ですが、世阿弥はそこに貴族・武家社会が尊んだ「幽玄」を組み込んだわけですね。世阿弥は稽古の順番として、最初に徹底的に写実的な「ものまね」を身につけろと言います。《物まねの品々、筆につくしがたし。さりながら、この道の肝要なれば、その品々を、いかにもいかにも嗜むべし》と。稽古とは古(いにしえ)を稽(かんが)えることであり、物を学ぶのが物学(ものまね)なんですね。

そういう写実的なものまねを極めた後に、型破り、ブレイクスルーは発生する。「ものまね」の最終的な境地は、《物まねに似せぬ位あるべし。物まねを究めて、そのものに真に成り入りぬれば、似せんと思ふ心なし》なんですね。君島遼もビューティーこくぶ(一九七三－)も、ミラクルひかる(一九八〇－)もそういうものをもっていますね。ちなみに、君島遼は芸名を本名の「柳元りょう」に改名したそうです。

ミラクルひかると坂本冬休み

中野 ミラクルひかるが広瀬香美(一九六六－)のものまねをやっていて、テレビで見たら死ぬかと思うほど笑ってしまった。よく見るとあまり似てないんだけど、何回ユーチューブで見ても笑ってしまう。あのデフォルメするところは、いつも同じところで笑っちゃう。中毒性があるんですよ。しかも、本物の広瀬香美の歌よりも耳心地が良くて、何度も再生してしまった。あれは何なんだろう？ やばいわ、あれ。危険な領域にある。

適菜 本来の芸能は危険なものですね。ミラクルの竹内まりや(一九五五－)のものまねも、危険な領域に入ってます。あと、私が好きなのは青汁を飲むおばさんのものまね。本来、ああいうお笑いの要素が入ったものまねは私は嫌いなのですが、ミラクルの場合は本質を掴んでいるから、芸として一流なんですよ。同じようなことを友近(一九七三－)がやってもダメなんです。友近はただ気持ちよくカラオケを唄ったり、つまらないコントでごまかすだけ。ものまねを理解していないのに、圧倒的なドヤ顔で三流の芸を披露するわけです。ああいうものをテレビに出すのは、真面目なものまね芸人に失礼です。ミラクルに謝れよ。

中野 テレビの演出なのか、本当なのか知らないけれども、ものまねバトルのような番組で、優勝して泣く芸人がいますよね。あんなくだらないものを、こんなに本気でやるやつはすごいなと、私は感動しました。ものまね芸人が複数集まってトークをする番組を見ていたら、誰々さんのものまねがすごいとか、お互い尊敬し合っているようなところがある。コロッケやミラクルひかるは、ものまね芸に加えて「笑い」が入る。あれがすごいですね。私が最近、腹を抱えて笑ったのが「坂本冬休み」（一九七一－）というものまね芸人。

適菜　知らないです。

中野　知らないの？

適菜　知らない。

ミラクルひかる。ものまね芸人、歌手

中野　コロッケ一押しの芸人です。

適菜　そうなんですか。私はユーチューブに流れているものまね番組しか見ていません。テレビを持ってないので。

中野　坂本冬休みは、ユーチューブで検索したら出てきますよ。最近、ものまねに限らず若い人って、なんでも器用じゃないですか。本当にレベルが高くて感心するんだけど、でも、ものまねで言うと、本当に似ていたり、歌がうまかったりしてすごいんだけど、なんて言うのか、笑いを取るところがまだ未熟ですよね。

適菜 ああ、よく分かります。悪意が足りない。清水ミチコやミラクルひかるには、悪意がある。骨格、本質を見抜くためには悪意が必要になる。いじわるな視点というか。

中野 ミラクルひかるもデビューした頃は、宇多田ヒカル(一九八三-)に真面目に似せてたんだけれど、途中から崩れてきた。崩れると、これは円熟の域で、崩れてるのに似てると思わせる。こういう世界はコロッケが最初に作ったんじゃないでしょうかね。コロッケのものまねで一番衝撃的だったのは、森進一(一九四七-)の恐竜。

適菜 コロッケの瀬川瑛子(一九四七-)の牛のまねもすごい。

中野 あれも、素晴らしい。あと、河村隆一(一九七〇-)の歌のまねをしたまま寝そべる芸とか。

適菜 あれは瀬川瑛子や河村隆一の内面を見抜いているわけですよね。だから中野さんがおっしゃったように、荒牧陽子(一九八一-)は声帯模写は完璧なんですが、円熟まで達していない。

中野 荒牧陽子はうまいですよね。でも、笑いが足りない。最近だと、松浦航大(一九九三ー)という若者は、恐ろしく似ている。

適菜 私より先、行ってますね。中野さん。

中野 うん。ものすごくうまい。

適菜 そうですか。

「ものまね芸」を無形文化遺産に

中野 松浦航大は、難しい歌をきちんと唄える。もともと、本人も歌手で、平井堅(一九七二ー)とか米津玄師(一九九一ー)の難しい歌を音程を外さずにそっくりにやるわけ。だけどね、最初聞いたときに感心したけれど、面白くないんですよ。やっぱり円熟するには、言っていないのに言っていると思い込ませるとか、そういうところまで行かなければならない。コロッケがすごいのは、美川憲一(一九四六ー)を復活させたでしょう。ものまねが本物を復活させるって、何なんだよ(笑)。

適菜 本物の芸能人は、ものまねの対象ではなくて、ものまね芸人のほうですよ。対象はある意味、ジャリタレも多い。だから、ものまねをしているほうが本質的な芸を見せている。それができないと、単なる上手なカラオケになってしまう。ビジーフォーも栗田貫一

（一九五八－）も私はあまり評価していません。清水アキラ（一九五四－）は、まだ面白いからいいですけど。

中野　子供の頃、ものまね王座決定戦みたいなテレビ番組で、清水アキラがテープ芸をやっていましたが、その極致が春日八郎（一九二四－九一）のまね。

適菜　「死んだはずだよ、お富さん」ってね。

中野　あれを初めてテレビで見たときは、本物の春日八郎が出てきたと本気で思っちゃった。こっちに近づいてきて、顔中にテープが貼ってるのを見て、目を疑いました。審査員も当然爆笑していて、野口五郎なんか笑いすぎて過呼吸になっていた。芸が終わった後に司会者が「野口さん、どうでしたか？」ってコメントを求めたら、「僕、こんなくだらないことで死ぬのかと思いました」って真顔で言ってた（笑）。

　昔のものまね番組で、司会の研ナオコ（一九五三－）がよく、デフォルメをやりまくるものまね芸人に、「バカ！」って言うんですね。それが最高に面白い。バカをやるのに必死というものまね芸人の素晴らしさ。昔の記憶だから正確ではないかもしれないけど、淡谷のり子（一九〇七－九九）先生が審査員でいて、清水アキラの下品な芸が大嫌いで、いつも清水を叱っていた。清水が勝てないのは、淡谷のつける点が極端に低いからなんですね。それなのに、清水はあろうことか淡谷のものまねまでして、当然、こっぴどく怒られていた。

淡谷を挑発して怒らせて、笑いを取ってるんですよ。ところが、一回だけ、清水が真面目にものまねをやって、淡谷がいい点をつけたことがあった。そうしたら、何と清水は、感極まって泣き出したんですよ。私は「こいつ、命がけでふざけていたんだ」と思って、びっくりした。何なんだ、この世界はと。どうも自分の知らない、とんでもないやつらのすごい世界があるんだなって思いましたね。

適菜 美しい話ですね。淡谷のり子のものまねは結構いろんな人がやってます。コロッケもやっているし、ビジーフォーもやっている。ヒップアップって昔いましたね。三人組で。あれが『なんてったってアイドル』を淡谷のり子の衣装でやる。

中野 ああ、そうですか。それ、見たことないな。あとは、本物を見てないのに笑ってしまうというのがあって。私はぴんから兄弟を数回くらいしか見たことがないけれど、ノブ(一九六三-)&フッキー(一九六六-)のぴんから兄弟を見ると、もうそれにしか見えない。ノブ&フッキーと言えば、古田新太(一九六五-)の顔まねも、衝撃だった。

適菜 今のものまね芸のベスト3を挙げるなら、ノブ&フッキーは入りますね。あれは本当に神がかっている。流れもいいし、ネタの幅も広いし、完成度も高い。芸能の王道です。

中野 コロッケはダンスがうまい。すごい訓練している。五木ロボットみたいなのもやるし。ああいうのを見ていると、笑える芸ってやっぱりリズミカルですよね。もう無形文化遺産で残したいです。コロッケなんか、勲章あげてもいいんではないですか。人間国宝に値する。

適菜　本当にそう思います。ミラクルひかるが勝間和代（一九六八－）のものまねで清水アキラが研ナオコに対してやったことを継承していますね。鼻のところにセロハンテープ貼って。しかも鼻の穴を黒く塗っちゃったりして。

中野　芸人同士で、お互い研究してる感じですよね。ものまね芸人が集まって楽しそうに話してるのを見ると、聞いていて面白い。例えば、「福山雅治（一九六九－）は皆できちゃうんだよね」とか、「誰々とかまねしたくなる」「そうそう、まねしたくなる」とか。やっぱり同じセンスを彼らは持っているんですね。

適菜　誰かがやると影響されますからね。だから最初にやった人間は偉いんです。二番手だと、コロッケがやるちあきなおみ（一九四七－）の更にものまねになるようなケースも多い。先に骨格を見抜くと、それがまねされるわけですね。

中野　他のものまね芸人に、自分にできないものまねをやられたり、先に特徴をつかまれたりすると、相当悔しいみたいですね。「やられたと思った」みたいなことを言っていた。これはすごい世界だなと思いました。コロッケが先駆者なんでしょうけど、このものまね芸の伝統は途絶えませんね。

なぜ人は笑うのか

適菜　今のお笑いは劣化していて、本当の意味で芸を見せているのはものまね芸人だと私は昔から主張しているのですが、なかなか理解してもらえない。

中野　私も、ものまねが入ったときが一番笑えますね。でも「笑う」ってなんだろう？　私も笑ったり、笑わせるのが大好きだから、考えてしまう。

適菜　それこそベルグソンではないですが、自分の目に映っていたものと、暴かれたものの落差を見て、改めて真実に気づき、それで笑ってしまう。

中野　精神がねじくれてるやつとか、プライドが高すぎるやつ、あるいは逆に卑屈なやつって、笑わないし、笑わせようとしないじゃないですか。何なんでしょうね？

適菜　何を面白いと感じるかにより、人間の本質が明らかになってしまう部分はありますよね。だから笑うことにより自分の本質を見抜かれるのが怖いんじゃないですか。一方、ものまね芸人は、相手の本質を暴き立ててしまう。それで皆笑うんだけど、ものまねされる側は、器量がないときついとは思います。

中野　本質を見抜かれるのが怖い、か。なるほど、そうでしょうね。ものまねの番組で好きなのは、ものまねされている本人がものまね芸人と一緒に登場する企画ですね。ものまねされた本人の複雑な表情が実に面白い。コロッケが、おふざけのものまねをした後、「はい、すいませんでした」って謝るのも大好きです。

適菜　中野さん、ものまねベスト3挙げると、誰になりますか?

中野　当然ですが、コロッケは入りますね。他には、松村邦洋(一九六七-)。松村の貴乃花とかビートたけし(一九四七-)とか野村克也(一九三五-二〇二〇)とか、顔は、全然似ていないはずなのに、同じに見えてくるからすごい。あとはやっぱり、ミラクルひかるかな。

適菜　なるほど。私も松村邦洋は天才だと思います。「戦国武将ものまね」もすごい。ビートたけしの声で吉良上野介(一六四一-一七〇三)をやったりする。達川光男(一九五五-)、掛布雅之(一九五五-)、川藤幸三(一九四九-)のものまねもすばらしい。津川雅彦(一九四〇-二〇一八)、小泉純一郎、浅香光代(一九二八-二〇二〇)のものまねも、すべてにおいてクオリティーが高い。私がベスト3をあげるとしたら、今なら、ノブ&フッキー、君島遼、ビューティーこくぶですね。

中野　ビューティーこくぶ、うまいよね。ものまねもうまいけれど、歌自体がうまい。

適菜　山下達郎(一九五三-)、槇原敬之(一九六九-)、カルロス・トシキ(一九六四-)のものまねのレベルも高すぎる。能でいうと、型破りの段階に入ってますね。

中野　ユーチューブで見たんだけど、『2億4千万の瞳』に合わせてものまねで歌うという、とんねるずの番組は面白いですよ。その番組で見たのですが、博多華丸（一九七〇－）の児玉清（一九三四－二〇一一）のものまねも素晴らしい。織田裕二（一九六七－）のものまねをするので有名な山本高広（一九七五－）は、ものすごい数のレパートリーをもってるらしくて、彼の江口洋介（一九六七－）とか高橋克典（一九六四－）のものまねは天才的です。挙げていくとキリがないけれど、私は、実は神奈月（一九六五－）の大ファンなのです。バカバカしいけれど、長州力（一九五一－）とか、めちゃくちゃうまいです。前田日明（一九六四－）とか、プロレス系は特にいい。適菜さんは神奈月の吉田鋼太郎（一九五九－）のものまね、見たことがありますか？

松村邦洋。お笑い・ものまね芸人。

適菜　それは見ていません。

中野　ものすごいですよ、あれは。神奈月のものまねは、普通崩すんだけど、吉田鋼太郎のものまねはそのまま。

適菜　その一方で誰がやっても似ていない対象もありますよね。例えば、忌野清志郎（一九五一－二〇〇九）のものまねは、皆失敗してる。エハラマサヒロ（一九八二–）も完全に失敗しているし。特徴のある声だから、ものまねしやすそうなんですが、やっぱりあの人の本質が掴めないんでしょうね。ものまね芸人ですら。清志郎のものまねで意外と成功しているのは、清水ミチコではないですか。

中野　一方、武田鉄矢（一九四九–）のものまねは、誰がやっても面白い。エハラマサヒロなんか「まるちゃん」って言うだけなんだけど、武田鉄矢という手垢のついたものまねで、「そう来るか」と思わせて、一言で笑いをとるのは見事なものです。

適菜　私より本当に先行ってますよね。中野さんのほうが。

型破りと芸の本質

適菜　松尾貴史（一九六〇–）は素晴らしいですね。「朝まで生テレビ！」のパロディで、『朝までナメてれば！』というビデオがあって、一人でいろいな人のものまねをしてるんですよ。メイクをして顔や声をまねるだけではなくて、その人が言いそうなことを言う。もう三〇年前の作品ですが、私はビデオでもっていて何度も見た。大島渚（一九三二–二〇一三）、野坂昭如（一九三〇–二〇一五）、西部邁、岡本太郎（一九一一–一九六）といったパネリストの仮装とものまねを一人でやって、合成している。そこに登場する舛添要一（一九四八–）のおでは緑色だった。

中野　そういう意味で言うと、ものまねは声の質とか顔だけじゃなくて、言葉でも笑わせてますよね。

適菜　ええ。だからそれも対象の骨格や体質から紡ぎ出される言葉を推測するわけです。

中野　似てないのに「似てる」と思わせたり、言ってないことでも「言いそう」と思わせて、かつ笑わせるとか。高度な芸能ですよね。コロッケが司会をしているものまね番組を見たのですが、ＬｉＳＡ（一九八七－）のものまねをやった人に、コロッケが「ＬｉＳＡちゃんは、大人の声と声変わりの前の子供の声が混ざったような声を出すから、難しいでしょ？」と声をかけていた。声の質や歌い方を本格的に研究しているんですね。あるいは、声の特徴が自然に耳に入ってきちゃうんでしょうね。

適菜　耳がいいということで言えば、森昌子（一九五八－）も、いろんな人のものまねをしていますね。美空ひばり（一九三七－八九）のまねだったり。あれも素晴らしい。ちあきなおみも美空ひばりのものまねをやっている。そこに面白さもある。森昌子やちあきなおみは、やっぱりすごい人だなと思いますね。

中野　うちの家族でものまねが好きなのは、残念ながら私だけなんです。適菜さんと私ぐらいですかね、こんなにものまねに夢中になるのは。適菜さんも、ものまねうまいんですか？

適菜　いや、あの、ミッキーマウスとか。「やあっ！　東京ディズニーランドによく来てくれた」みたいな。

中野　それ、誰でもできるじゃないですか（笑）。

適菜　今日は調子が悪いんです。歌手のものまねをしようと思ったことはありませんが、短いものまね芸は大人のたしなみとしていくつか身に着けておこうと思っていました。レパートリーは多くはありません。アナゴ君と飲みに行くところを波平に目撃され「サザエには内緒にしておいてくださいよ」と懇願するマスオさん、アンパンマンがばいきんまんにやられて「バタコや、新しい顔を焼くよ」と叫ぶジャムおじさん、武田信玄の謀略に怒り狂う信長役の滑舌の悪い石橋凌（一九五六－）、「そんなことはとっくの昔にウォーラーステインが言っていることじゃないですかあ」と憤慨する絓秀実（一九四九－）、アニメキャラの涼宮ハルヒについて熱く語る浅羽通明（一九五九－）、ＮＨＫ大河ドラマ『秀吉』で秀吉の母「なか」（一五一三－九二）を演じる市原悦子（一九三六－二〇一九）、ＯＧＧＩ（神楽坂に以前あったトラットリア）のシェフくらいですかね。

中野　私は芸能人のものまねは一切できないんだけど、高校生のときや社会人になったばかりの若い頃は、先生や同級生、あるいは上司をデフォルメしてまねて、すごく上手だったんですよ。で、人気者だった。私自身がものまねをやるのが大好きだったんですね。そう言えば、「水曜日のダウンタウン」という番組で「先生のモノマネ、プロがやったら死ぬほど子供にウケる説」を検証するといって、ミラクルひかるやホリらものまね芸人が学校に入り込んで、先生方の特徴をずっと研究して、自分たちで「俺は、この先生のまねする」「じゃあ、私は、この先生のまねする」とか決めて、それで実際に学生の前で、その先生のまねを四人がやったの。そうしたら、高校生たちは泣いて喜んでた。私も見ていて面白かった。私が感動したのは、対象が芸能人でなくても、ものまねができるということです。彼らが対象の特徴を掴むのは、本質を掴むということとほぼ同じ。観察力や感受性が鋭いんでしょうね、ものまね芸人は。

適菜　ＮＨＫ大河ドラマの『武田信玄』で、信長役を石橋凌がやったのですが、滑舌が悪くて、セリフがよく聞き取れないんです。どうしてああなるのかと思って、ずっとまねしてたんですが、口を開いて息を吐きながらしゃべれば、ああなるということが分かったときは、少しうれしかったです。「畜生。武ア信玄、許エん。裏イりやがって」みたいな。

記憶も無意識のものまね

中野 なるほど。本質を掴むのは、その人になりきることでしょう。小林秀雄は歴史のことを「上手に思い出すこと」と言ったけれど、上手に思い出すのは歴史に限らない。「思い出す」と言えば、人間の記憶って、正確ではないじゃないですか。私、中学生だか高校生ぐらいのときにテレビで見た『男はつらいよ　寅次郎あじさいの恋』というのがあって、いしだあゆみ（一九四八–）がマドンナをやるんだけれど、これがすごく印象に残っていた。寅さんシリーズは、最初は寅さんという間抜けな男が勝手に女に惚れ込んでふられるというのが基本パターンでしたが、途中から、渥美清（一九二八–九六）が歳取ってきたのもあって、寅さんがマドンナに逆に惚れられて逃げ出すパターンに変わっていくんですよ。そのマドンナに惚れられるパターンの一番最初が、いしだあゆみだった。

いつもは寅さんがマドンナに一目惚れしてドタバタが始まるのに、いしだあゆみに関しては一目惚れをしなかった。逆に、いしだあゆみに惚れられて、動揺する。なんでその回でパターンが変わったことに気づいたかというと、義弟の諏訪博が「今まで、こんなことなかったなあ」と言っていたからです（笑）。

適菜　山田洋次（一九三一－）の映画は説明的ですね。ワンパターンだし。そこがいいんだけど。私も二〇一九年にCGで作った映画を含めてシリーズ全五〇作はほとんど見ています。テキ屋の口上もあれで覚えましたよ。四ツ谷・赤坂・麹町、ちゃらちゃら流れる御茶ノ水、粋なねえちゃん立ち小便ってね。

中野　渥美清自身が味が出てきちゃったから、パターンを変えたんでしょうね。いしだあゆみの回は、いつものパターンと違うので、強く印象に残りました。見ていて、「あれ、何これ。結ばれちゃうの？」と思ってたら、結局、結ばれない。そのときのシーンを子供の頃に見て以来、ずっと覚えていたつもりだったのに、最近、ＢＳで『寅次郎あじさいの恋』が再放送されているのを見たら、子供の頃に見たものと全然ストーリーが違うんですよ。記憶がびっくりするくらい変換されていた。自分の記憶では、寅さんはいしだあゆみにデートに誘われて、照れくさいから、甥っ子の満男を連れて行くんですよ。そして、夜遅くなって、満男だけ先に家に帰って「おじさん、電車の中で、泣いてたよ」と言う。そこは、記憶の通りだった。ところが、私の記憶では、二人は江の島でデートして、だんだん日が沈んできて、いい感じになるのですが、寅さんは一言もしゃべれない、そんなふうに記憶していました。でも、実際に見たら、私の記憶とは違うんですね。寅さんはしゃべりまくっていて、いしだあゆみのほうが「これは、違う」と気づくんです。

適菜　もしかしたら、他の回に似たような話があって、その影響を受けているのかもしれませんね。似たような話は多いですから。記念写真を撮るときの「はい、バター」というのも何回も出てくるし。役場に「あなたの声をお聞かせください」と書いてある投書箱があって、寅さんは「おーい」と呼びかけるんですよね。

中野　そうか、影響受けて混ざっちゃったのかもしれない。だから、思い出すとか記憶とか言っても、全然正確に保存していないんだなと思いました。記憶は、美化されたり悪化されたりしますし、都合のいい処理をされているのでしょう。ものまねも、われわれが古いことを記憶したり、認識しているときは、無意識にものまねをしているんでしょうね、頭の中で。ものまねしたものを記憶している。そんな感じがします。

ピカソや伊藤若冲に見えていたもの

中野　絵画のことはよく知らないのですが、対象をすごくデフォルメした絵があるでしょう。あれも、そういうことなんですか？

適菜　小林秀雄が絵を見て分かるとはどういうことかと言っていますよね。それはなにも考えずに目を慣らすことだと。くどくどと絵の説明や解釈を聞いて解説書と照らし合わせて、実物を見るのではダメで、まずは無条件に感動することが必要だと。その芸術から受ける、何とも言いようのない、どう表現していいか分からないものを感じ、そして沈黙する。絵を見て分かるというのは、その沈黙に耐える経験を味わうことだと。そういう意味では、私は抽象画も宗教画もあまり分かっていません。物理的に目と脳を揺さぶられるのは、私の場合、印象派と呼ばれるものが多い。まさに小林が『近代絵画』で扱ったようなものです。ピカソの『ゲルニカ』は抽象画という括りに収まるものなのか分かりませんが、スペインのマドリードに行ったときに、ソフィア王妃芸術センターで見たんです。われわれは『ゲルニカ』の複製自体は何度も見ていますよね。学校の教科書にも載っていますし。だから、「『ゲルニカ』なんて知っているよ。ナチスの無差別爆撃を告発した反戦の絵だろ」みたいな舐めた感覚で見に行ったんです。そしたら完全に打ちのめされた。

パブロ・ピカソ。画家。キュビズムの創始者のひとり

中野 そうですか。

適菜 ええ。絶句ですね。フランシスコ・フランコ(一八九二－一九七五)がどうこうとか、反戦がどうこうとか、ほとんど関係ない。絵のパワーがす

ごすぎる。本質だけを見せてしまう。それでマドリードに滞在したのは短い間でしたが、ソフィア王妃芸術センターには三回行ってしまった。そのときの衝撃を後から考えたのですが、ピカソは骨格、本質だけを描いているんですね。ハプスブルク家の王女マルガリータが真ん中に描かれている『ラス・メニーナス』というディエゴ・ベラスケス（一五九九―一六六〇）の有名な絵がありますよね。それをデフォルメした絵をピカソが描いていて、それもバルセロナのピカソ美術館で見たんです。それもすごくショックを受けた。先ほどの君島遼と小林幸子の話と同じです。ベラスケスの本質、骨格、フォーム、型をつかむことにより、本物より似ている絵を描いてしまった。だから、芸術、芸能の本質は同じなんですね。これはフィンセント・ファン・ゴッホ（一八五三―九〇）が言っているんですが「肖像画は、写真より本人に似ていないと意味がない」と。だから、ものまねも本人より似せていかないとならない。

中野 そうですね。私は、絵画とか音楽とか全然分からない無粋な人間なんだけれど、言葉で表せない衝撃って確かにあります。伊藤若冲（いとうじゃくちゅう）（一七一六―一八〇〇）展に行って、若冲の絵の現物を見たときは絶句しました。人間、鶏の絵を描くことだけに、こんなに精神力を投入できるんだと。絵から出てくる絵描きの精神力にあてられるというか。だから、若冲の絵を見ながら「こいつ、頭おかしいんじゃね？」とつい言っちゃった。そうしたら私の前にいた若冲ファンらしい兄ちゃんが、うれしそうに振り返って「すごいでしょ？」とか言って、「分かるでしょ？」みたいな感じで語りかけてきたのです。

適菜　その感覚はすごくよく分かります。絵描きは普通の人間には見えないものを目の力で捉えて、それを描くわけですよね。概念とかパターン認識ではなくて、たとえばモネは自分の目に映ったものを描いた。小林はこういう言い方をしていますね。

《モネは、印象主義という、審美上の懐疑主義を信奉したのではない。持って生れた異様な眼が見るものに、或は見ると信じるものに否応なく引かれて行ったまでであろう。不安な視覚に堪え通したままであろう。芸術家は、自分の創り出そうとするものについて、どんなに強い意識を持とうと、又、これについて論理的な主張をしようと、その通りに仕事ははこぶものではあるまい》（「近代絵画」）

《光を浴びた「ルアンの寺院」は、時刻によって、化物の様に姿を変える。時刻によって、大気の裡に、オレンヂとか青とかの主導的な色が現れるのであるから、風景を描くとは、この主導的な色彩の反映を展開させる事だ。（中略）光の壊れ方に気附いた時、画家は、物との相似性の観念をもう壊していた》（同前）

モネの絵も荒い筆のタッチに見えるが、見ていると写真より遥かに精密に現実を写していることが分かる。でも、本当にモネのすごさに気づいたのは四〇を過ぎてからでした。

ロンドンのナショナルギャラリーに行ったとき、モネの『睡蓮』の前で完全にやられた。それは物理的に動けなくなるくらいの衝撃だったので、しばらく絵の前で茫然としていました。モネの『睡蓮』は二〇〇点以上ありますが、他のどこの美術館で見た『睡蓮』より圧倒的によかった。いや、よいとか悪いとかではなくて、今思えば、そのとき、モネの絵が「見える」という体験をしたんですね。これはどこかにも書いたのですが、なぜそこまで惹きつけられたか考えたんです。絵を見ているうちに、モネの目と同化していくような気分になる。別の部屋に行き他の画家の絵を見て戻ってくると、目は元に戻っている。そしてまたしばらくモネの絵を見ているうちにモネの目に映ったものが見えるようになる。これは単なる印象ではなくて、「血行や消化に似た」確実な経験です。具体的に、物理的に、目の見え方が変わってくるという経験です。隠されていたものが暴き立てられる瞬間が具体的に見えてくるということです。それを私はモネの絵で知りました。パリに行ってルーブル美術館、オルセー美術館、オランジュリー美術館などでもモネを見たが、一度モネの目を共有した経験があると、モネの目に同化していくのが容易になっていく。そして、普段自分が見ている世界が言語や概念により、歪められたものであることを自覚し、反省するわけです。私は基本的に懲りないし、くだらないことでケチをつけられても反省などしないが、モネの絵を見れば素直に反省します。

中野　凡人にはない天才のエネルギーみたいなのが、その絵から放射されて、それにあてられるんですよね。島根県安来市の足立美術館に行ったことがあって、河井寛次郎(一八九〇−一九六六)の作品を見たときもショックだった。焼き物で、こんなに感動するとは思わなかった。奥を歩いて行くと、美人画で有名な伊東深水(一八九八−一九七二)の絵があったのですが、その先に、伊東深水よりはるかにすごい絵がかかっていて、それが上村松園(一八七五−一九四九)だった。上村松園の美人画は衝撃的で、そこを通り過ぎて、最後にもう一回戻って見ちゃった。なんか離れたくないわけ。丹念に細かい筆を使っている松園の精神力に掴まれたというか。

適菜　その感覚もすごくよく分かります。パリのオランジュリー美術館に巨大なモネの『睡蓮』を飾った部屋があるんです。それを展示するためだけに、自然光を取り込む部屋をつくったんですね。それを見て帰ろうとして美術館を出てしばらく歩いていたら、橋のあたりで自然に足が止まったんですよ。そして美術館に戻って、もう一回、お金を払って入館した。そのくらいの力があるということですよね。

中野　そう。すごい磁力があるんですよ。だから絵描きも、美術に感心がある人も、私なんかが感じていない強力な磁力を感じているのだろうなと思います。私みたいな素人ですら掴まれるところがあるのだから。若い頃は、あまりそういうことなかったけれど、だんだんそういうことが起きるようになってきましたね。

芸術は主観と客観を一致させる

中野　また話がものまねに戻りますが、例えば神奈月が面白い芸を見せたり、セリフを言ったりしたとき、笑って膝から崩れ落ちてしまいますね。本当に、膝から崩れ落ちるわけ。凡人には見えていないものを見る目を、神奈月はもっている。若冲でも松園でも、神奈月でもいいのですが、何の役にも立たないことに、ものすごいエネルギーを費やされると、やっぱり感動する。昔、写真で見たかテレビで見たかぐらいですが、フェルディナン・シュヴァル（一八三六－一九二四）というフランスの郵便配達員が毎日、森を通るときに石ころを積み上げて、やがてとんでもないお城を作るんですよ。「シュヴァルの理想宮」と呼ばれているものです。あれを見たときに、人間ってどこか、やっぱりしょうもないことにものすごい労力を費やすところがあって、そういったものに私なんか感動しますね。

適菜　ものを作る人間は、どこか狂っているんですよ。平凡な人には見えないものが見えるし、音楽家だったら聞こえないものを聞いてしまったり。柳田國男だったら見てはいけないものを見てしまったりする。兼好法師もそうです。小林はこういう言い方をしている。

《「徒然わぶる人」は徒然を知らない、やがて何かで紛れるだろうから。やがて「惑の上に酔ひ、酔の中に夢をなす」だろうから。兼好は、徒然なる儘に、「徒然草」を書いたのであって、徒然わぶるままに書いたのではないのだから、書いたところで彼の心が紛れたわけではない。紛れるどころか、眼が冴えかえって、いよいよ物が見え過ぎ、物が解り過ぎる辛さを、「怪しうこそ物狂ほしけれ」と言ったのである》（「徒然草」）

中野 それで偉大な何かを成し遂げちゃうんですよね。青木木米（一七六七－一八三三）という江戸時代の陶工は、釜の火の音を聞いて、それで全てを感じて焼き物を作るのですが、そのうち、耳が熱射で火傷し、聞こえなくなったそうです。普通、そんなになるまで、やりますか。偉大なものには、そこに没入する人の強烈なエネルギーがある。

適菜 偉大なものに触れ続けないと、どんどん人間は薄っぺらになると思います。ゲーテは毎年モリエールの短編を読んでいたそうです。心の中にその偉大さを蘇らせるために。絵もそうなんですよね。絵だって見たら忘れますし。だから、繰り返し触れ続けなければいけない。そういう芸能は自分が普段見ている世界がいかに薄っぺらいものなのかということを気づかせますからね。

中野 なるほど。さっきの絵に掴まれるとか、あてられるとか、絶句するとか言いましたが、主観と客観が一致するというのは、そういう体験のことなんでしょうね。もっと単純に言うと、子供の頃は誰でも経験するんですが、遊びに夢中になると我を忘れるじゃないですか。それは主観と客観が一致しているのですね。子供って我を忘れて夢中になって遊ぶとき、環境と一体化する。芸術も没頭すると、我を忘れて対象が憑依しちゃったりする。これが「フリーダム」ということです。

大人になるにつれて利口になってくると、環境に没入しなくなってきます。子供の頃は、蝋石を見て発狂しそうになった柳田國男少年のように、主観と客観が一致することはよくある。もともと、子供は母親のおっぱいを吸って生きているときは、母親と自分を一体のものと考えていて、成長すると、母親から分離した自我が出てくるということらしい。成長すればするほど、子供から大人になってくると、それは成長で進歩のように言われているが、実は主観と客観がだんだん離れていくということになる。偉大なものや芸術は、もう一回、主観と客観を一致させることです。

適菜　ベルグソンも同じことを言っています。

《こうして見れば、絵画でも彫刻でも、詩でも音楽でも、芸術の目的は、実用に役立つ記号の群れや慣習的社会的に受容されている一般観念、すなわち実在をわたしたちに隠している一切のものを取り除き、わたしたちを実在そのものに直面させる以外のものではないのである》（『笑い』）

つまり、実在そのものに触れるから、われわれはショックを受ける。

中野　だから私も、今でも、何かに没頭したり、感動したりして、充実感を味わっているときって、時々、無邪気に遊んでいた子供の頃の感覚を思い出すことがあるんですよ。大人になって本を夢中になって読んで「ああ、そういうことか」「こんな偉大なことを考えるやつがいたのか」とえらく感動したときって、「こういう感情は、以前にも経験したことがあるなあ」と考えてみると、子供のときに玩具で夢中になって遊んで我を忘れたときの記憶がよみがえってきて、そういう経験を長く忘れていたなという感慨がこみあげてくる。主観と客観の一致と、言葉でいうと味気ないのですが、そういうことだと思います。

偉大な芸術家や学者の顔が若いのはなぜか？

中野　そう考えると、教育というものは難しい。子供が夢中になって遊ぶような感覚が大事なのであり、そういう感覚をできるだけ大人になっても長くもち続けた者が優れた人間なのではないでしょうか。逆に、子供のときの主観と客観が一致して夢中になって遊ぶという感覚を忘れて、主観が客観から離脱して、理屈だけこね回したりしているような、シュペングラー用語で言えば「覚醒存在」だけになっていくつまらん連中が世の中を退屈なものにしている。
そういう意味では、偉大な発見をしている科学者は、例えばノーベル物理学賞を受賞した小柴昌俊(一九二六－二〇二〇)先生が典型ですが、年をとっても子供みたいな無邪気な顔をしている。皆自分の研究について話すときは、子供が夢中になってしゃべっているような感じがする。だから偉大な発見をする人や偉大な芸術家、偉大な学者は顔が若いですよね。子供のように明るい。なんか、そんな気がするな。

適菜 顔に出るんですね。そう考えると、ゲーテって偉大だなと思います。ニーチェの哲学はゲーテに多くを負っているし、もちろんシュペングラーも形態学や観相学の影響を受けている。小林秀雄が顔にこだわり続けたのもそうです。

中野 学問や言葉を、人を操作するために使おうとする連中とか、凡庸なくせに自意識過剰な学者とか、暗くひねてやっている芸術家とかは、作品も良くない。やっぱり主観と客観が一致する、子供のように没頭するという経験をしていないからじゃないですかね?

適菜 ゲーテの『親和力』は、たとえばアルカリと酸とか化学的な話を恋愛の物語などに絡めているのですが、それは比喩というより、男女関係なんて化学そのものですよね。違う性質のものが結合したり、反発するのが自然なんですから。だから、偉大な発見者や芸術家は、理性だけではなくて、自然ときちんとつながりながら、ものを考えられる人なんだなと感じます。偉大な画家、音楽家、ものまねの達人と同じような現象が偉大な学者にも起きているのだと思います。

本質を見抜くトクヴィルの目

中野　適菜さんが今、言ってくださったことは、私が『小林秀雄の政治学』で書きたかったことです。小林は、文学や骨董、芸術について書いていますが、そういうものを通して世界の本質を見ている。ベールをはがして本質を見ている。そういう目が社会科学にも必要です。あまり知られていませんが、小林は実際に本質を見抜くということを政治学でもやっているわけです。小林秀雄の「政治学」は、実は、社会科学としても丸山よりもはるかに上なのです。

エミール・デュルケーム。社会学者

適菜　偉大な社会学者は、皆目が見えてたんですね。

中野　世の中には、社会科学に感動する人もいると思うんです。それは多分、文学を読んだり絵を見たりして感動しているときと同じ感動を味わっている。

私は若い頃にデュルケームの『自殺論』を読んだときの衝撃が忘れられません。あとトクヴィルの『アメリカの民主主義』ですかね。こんなに頭のいいやつがいるのか、これほど先が見えてしまう人がいるのか、って感動した。

適菜　トクヴィルは目が見えていた。普通の人間には見えないものをトクヴィルは見てしまう。私も昔『アメリカの民主主義』を読んでショックを受けて、傍線を引いた場所を、ワープロソフトで打ち込んで、プリントして繰り返し読んでいたんです。トクヴィルの思考回路を追体験するわけですね。この対談でも扱ってきたように、馴染むという形で接近しないとダメなことってあると思うんです。トクヴィルが言ったことを「情報」として消費すればそれまでです。でも、トクヴィルがなぜあそこまで将来を正確に予測できたかと考えるほうが大事です。その視力に驚くことのほうが大事です。これはモネの視力に驚くのと同じです。

トクヴィルが一九世紀のアメリカについて語ったことは、まさに一回性のものですが、その語り口調、間の置き方、議論の順番とかそういうものは、トクヴィルの体質や気質によるものだったり、これまで述べてきたように型、フォーム、文体の問題だったりします。小林が言っていることも結局、そういうことです。

《人間は、その音声によって判断出来る、又それが一番確かだ、誰もが同じ意味の言葉を喋るが、喋る声の調子の差異は如何ともし難く、そこだけがその人の人格に関係して、本当の意味を現す、この調子が自在に捕えられる様になると、人間的な思想とは即ちそれを言う調子であるという事を悟る、自分も頭脳的判断については、思案を重ねて来た者だが、遂には言わば無智の自覚に達した様である、其処まで達しないと、頭脳的判断というものは紛糾し、矛盾し、誤りを重ねるばかりだ、……》(「年齢」)

中野　私は大学一年生のときにトクヴィルを読んで、「多数者の専制」という概念を知ったときの衝撃が忘れられない。民主主義と専制は、対立するものではない。民主主義が専制を生むのです。全体主義ですね。それをトクヴィルから学んで興奮した私は、周りの友人とかに「民主主義が専制を生むんだってよ。驚きだよね」と話したのですが、いくら話しても、「民主主義と専制とは反対のものです」と学校で教わって大学に入ってきたやつらには、せせら笑われるだけでした。こちらはこんなに感動して夢中になってしゃべったのに、まったく相手に伝わらないどころか、小バカにされるわけですよ。そのときに自分が感動して言っている姿は、子供が夢中

アレクシ・ド・トクヴィル。政治思想家、法律家、政治家

になってしゃべっているような感じになっていたと思います。感動したことについて夢中になってしゃべるということは、子供の頃には体験したことです。でも、初中等教育の過程では「そんな子供じみたことをやってちゃダメだ。きちんと勉強して大人になれ」みたいな感じで、くだらない教育を押し付けられる。そんな教育を受けてきた結果、この受験秀才たちみたいに感動しなくなる顔になる。それがよく分かった。そうすると「教育って、なんなんだ?」という気持ちになってきますね。

適菜 トクヴィルの目は、そういう感動がないと、引き継ぐことができない。だから感動するのは大事ですね。トクヴィルは、近代人は前近代的な拘束を断ち切って自由になったつもりでいるが、近代の平等社会において「大多数のものの一般意思」に縛られるようになったと指摘しました。これは害悪の性質が変わっただけであり、「隷属の新しい形」を発見しただけだと。これこそ、今の世界で発生している状況です。それが「見えた」のはトクヴィル自身も、子供の目を維持し、概念の奴隷にならなかったということだと思います。

中野 そういうことですね。二人で、いろいろな話をしてきましたが、ずっと同じことを様々な角度から言ってきたように思います。

おわりに——なにかを予知するということ

私が大学生の頃に小林秀雄を読みはじめたとき、最初はなにが書いてあるのか分からなかった。

ちんぷんかんぷんだった。

しかし、「ここにはなにかがある」と薄っすらと思った。

要するに、なにかを予知していたわけだ。

そこでとりあえず小林の文章に馴染もうとした。馴染んでくると、小林が言いたいことが浮かび上がってきた。そしてもう少し大人になってから小林を読み返し、その重要性を事後的に理解するという流れになった。この対談で何度も言及してきたように、そういう形でしか、「知る」ことができないものは存在する。

私は自分の本の中に私的なことを書くのはあまり好きではない。例えばよくありがちなのは「あとがき」に担当編集者の名前を出したり、「本書執筆を支えてくれた妻信子に感謝する」と書いたり。とりあえず読者にとっては「信子」は関係ない。

しかし例外的に「編集者」に関する話をすると、私が中野剛志という人物を知ったのは、本書の編集者である鈴木康成さんと話しているときだった。

鈴木「適菜さん、中野剛志って知っていますか？」

私「知りません」

鈴木「この前、テレビで見たんですが、番組の進行とかまったく忖度しないで、キャスターを怒鳴りつけていたんですよ。あの人は危ないですよ」

私「そうなんですか」

鈴木「あの人と適菜さんは絶対に気が合いますよ」

そんなことがあってからしばらくして、SNSで知り合いになった国土交通省の樺澤孝人さんから連絡があって「中野さんと三人で飲みませんか？」と。

私はいわゆる言論人と一緒に酒を飲みに行くことはないが、その後、唯一の例外として中野さんとは定期的に会って酒を飲むことになった。

つまり、鈴木さんはなにかを予知していたのである。

一方、某大学院教授に初めて会ったとき、その場では意気投合したものの、一抹の不安というか、今思い出してみると、なにかを予知してしまったのは事実である。

人間とは不思議なものだ。

小林秀雄はその「不思議さ」について書き続けたのだろう。

小林については以前から中野さんと話をしていた。そしてそのたびに小林の深い部分が分かるようになった。中野さんとの出会いがなかったら、私は今でも空回りしていたかもしれない。

適菜収

◉参考文献

『小林秀雄全作品』（新潮社）
『小林秀雄全集』（新潮社）
『この人を見よ　小林秀雄全集月報集成』（新潮文庫）
『ニーチェ全集』（ちくま学芸文庫）
『決定版 三島由紀夫全集』（新潮社）
『笑い／不気味なもの』アンリ・ベルクソン、ジークムント・フロイト／原章二訳（平凡社ライブラリー）
『兄小林秀雄との対話　人生について』高見沢潤子（講談社文芸文庫）
『ゲーテとの対話』エッカーマン／山下肇訳（岩波文庫）
『人生について─ゲーテの言葉』ゲーテ／関 泰祐訳（現代教養文庫）
『西洋の没落』オスヴァルト・シュペングラー／村松 正俊訳（中公クラシックス）
『徒然草』吉田兼好（岩波文庫）
『死にいたる病　現代の批判』セーレン・キルケゴール／桝田啓三郎訳（中公クラシックス）
『政治における合理主義』マイケル・オークショット／嶋津格他訳（勁草書房）
『君主論』ニッコロ・マキアヴェリ／池田廉訳（中公クラシックス）
『大衆の反逆』オルテガ・イ・ガセット／神吉敬三訳（ちくま学芸文庫）
『全体主義の起原』ハンナ・アレント／大久保和郎、大島かおり訳（みすず書房）

『暗黙知の次元』マイケル・ポランニー高橋 勇夫訳（ちくま学芸文庫）
『フランス革命についての省察ほか』バーク／水田洋、水田珠枝訳（中公クラシックス）
『アメリカのデモクラシー』トクヴィル／松本礼二訳（岩波文庫）
『日本改造計画』 小沢一郎（講談社）
『大臣 増補版』菅直人（岩波新書）
『小林秀雄の政治学』中野剛志（文春新書）
『小林秀雄の警告 近代はなぜ暴走したのか？』適菜収（講談社＋α新書）
『コロナと無責任な人たち』適菜収（祥伝社新書）
『ディスコルシ 「ローマ史」論』ニッコロ・マキアヴェリ／永井三明訳（ちくま学芸文庫）
『福翁自伝』福沢諭吉（岩波文庫）
『保守とは何だろうか』中野剛志（ＮＨＫ出版新書）
『日本思想史新論』中野剛志（ちくま新書）
『ファウスト』ゲーテ／相良守峯訳（岩波新書）
『親和力』ゲーテ／柴田翔訳（講談社文芸文庫）
『想像の共同体』ベネディクト・アンダーソン／白石隆、白石さや訳（書籍工房早山）
『ハイエク全集』フリードリヒ・Ａ・ハイエク／矢島釣次他訳（春秋社）
『風姿花伝』世阿弥（岩波文庫）

［著者略歴］

中野剛志

なかの・たけし

評論家。1971年、神奈川県生まれ。元京都大学大学院工学研究科准教授。専門は政治思想。96年、東京大学教養学部(国際関係論)卒業後、通商産業省(現・経済産業省)に入省。2000年よりエディンバラ大学大学院に留学し、政治思想を専攻。01年に同大学院にて優等修士号、05年に博士号を取得。論文“Theorising Economic Nationalism”(Nationsand Nationalism)でNationsand Nationalism Prizeを受賞。主な著書に『日本思想史新論』(ちくま新書、山本七平賞奨励賞受賞)、『TPP亡国論』(集英社新書)、『日本の没落』(幻冬舎新書)、『日本経済学新論』(ちくま新書)、新刊に『小林秀雄の政治哲学』(文春新書)が絶賛発売中。『目からウロコが落ちる 奇跡の経済学教室【基礎知識編】』と『全国民が読んだら歴史が変わる 奇跡の経済教室【戦略編】』(KKベストセラーズ)など多数。

適菜 収

てきな・おさむ

作家。1975年、山梨県生まれ。ニーチェの代表作『アンチクリスト』を現代語にした『キリスト教は邪教です!』、『ゲーテの警告　日本を滅ぼす「B層」の正体』、『ニーチェの警鐘　日本を蝕む「B層」の害毒』、『ミシマの警告　保守を偽装するB層の害毒』、『小林秀雄の警告　近代はなぜ暴走したのか?」(以上、講談社+α新書)、『日本をダメにしたB層の研究』(講談社+α文庫)、呉智英との共著『愚民文明の暴走』(講談社)、『安倍でもわかる政治思想入門』、『国賊論　安倍晋三と仲間たち』、『日本人は豚になる　三島由紀夫の予言』(以上、KKベストセラーズ)、『ナショナリズムを理解できないバカ』(小学館)、最新刊『コロナと無責任な人たち』(祥伝社新書)など著書40冊以上。「適菜収のメールマガジン」も配信中。https://foomii.com/00171

思想の免疫力
賢者はいかにして危機を乗り越えたか

2021年8月20日　初版第1刷発行

著者
中野剛志　適菜収

発行者
小川真輔

編集者
鈴木康成

発行所
株式会社ベストセラーズ
〒112-0013 東京都文京区音羽1-15-15 シティ音羽2階
電話 03-6304-1832（編集） 03-6304-1603（営業）

印刷所
錦明印刷

製本所
ナショナル製本

ＤＴＰ
三協美術

装幀
竹内雄二

写真
アフロ、朝日新聞フォトアーカイブ

ISBN978-4-584-13979-0 C0095